Beck'sche Schwarze Reihe

Band 230

Deutsche Schriftsteller im Porträt

Band 1

Das Zeitalter des Barock

Herausgegeben von Martin Bircher
1979. 194 Seiten mit 88 Abbildungen
(Beck'sche Schwarze Reihe, Band 200)

Band 2

Das Zeitalter der Aufklärung

Herausgegeben von Jürgen Stenzel
1980. 203 Seiten mit 90 Abbildungen
(Beck'sche Schwarze Reihe, Band 220)

Band 3

Sturm und Drang, Klassik, Romantik

Herausgegeben von Jörn Göres
1980. 287 Seiten mit 132 Abbildungen
(Beck'sche Schwarze Reihe, Band 214)

Band 4

Das 19. Jahrhundert
Restaurationsepoche · Realismus · Gründerzeit

Herausgegeben von Hiltrud Häntzschel

Deutsche Schriftsteller im Porträt

Band 4

Das 19. Jahrhundert
Restaurationsepoche · Realismus · Gründerzeit

Herausgegeben von Hiltrud Häntzschel

VERLAG C.H.BECK MÜNCHEN

Mit 89 Abbildungen

CIP-Kurztitelaufnahme der Deutschen Bibliothek

Deutsche Schriftsteller im Porträt. – München: Beck.
Bd. 4. Das 19. Jahrhundert: Restaurationsepoche,
Realismus, Gründerzeit / hrsg. von Hiltrud
Häntzschel. – 1981.
(Beck'sche Schwarze Reihe; Bd. 230)
ISBN 3 406 06030 7
NE: Häntzschel, Hiltrud [Hrsg.]; GT

ISBN 3 406 06030 7

Einbandentwurf von Rudolf Huber-Wilkoff, München
Umschlagbild: Gottfried Keller (nach einem Gemälde von
Frank Buchser, 1872)

Gesamtherstellung: C. H. Beck'sche Buchdruckerei, Nördlingen
Reproduktion der Abbildungen: Brend'amour, Simhart & Co.,
Graphische Kunstanstalt, München
Printed in Germany

Inhalt

Einleitung

Die hier in bildnerischen und literarischen Porträts vorgestellten Autoren – sie sind fast alle in der ersten Hälfte des 19. Jahrhunderts geboren – repräsentieren in ihren Lebensläufen, in ihren schriftstellerischen Hinterlassenschaften wie in ihren Gesichtern den ganzen Pluralismus ihres Jahrhunderts, von den jung Verstorbenen, Waiblinger, Büchner und Grabbe etwa, deren Werk noch in der Goethezeit schon seinen Abschluß fand, bis hin zu Heyse, der im 20. Jahrhundert noch höchste öffentliche Ehrung erlebte (Nobelpreis 1910). Vieles von der in der Klassik, im Idealismus gewonnenen Individualität geht wieder verloren zugunsten von Mode- und Massenerscheinungen, das gilt für die Literatur ebenso wie für die Porträtkunst. Einschneidend für viele der beschriebenen Lebensläufe ist das Revolutionsjahr 1848. Das mehr oder weniger aktive Engagement für Republik und Demokratie zwingt Freiligrath, Herwegh, Hoffmann von Fallersleben, Kinkel, Malwida von Meysenbug, Marx ins Exil; Mommsen und Storm verlieren vorübergehend ihre Ämter; Grün, Weerth, Scheffel, Kurz, Strauß, Laube, Heine, Vischer, Gervinus sind betroffen und enttäuscht; andere ändern die Gesinnung (Dingelstedt und Jordan); die Poeten, die den Münchner Dichterkreis bilden werden, scheinen unberührt.

Dem Leser wird bei der Auswahl der Autoren auffallen, daß die zweit- und drittrangigen Erfolgsschriftsteller des 19. Jahrhunderts heute noch gründlicher vergessen sind als die des 18. Jahrhunderts, obgleich sie uns zeitlich doch um vieles näher stehen. Das liegt an den veränderten literatursoziologischen Bedingungen, an der quantitativen Zunahme der literarischen Produktion und der ebenso sprunghaften Zunahme der Leser im Zuge der technischen Entwicklung bei der Buchproduktion und auf dem Buchmarkt und im Zuge einer rapiden Verbesserung der Schul- und Allgemeinbildung: ein massenhaftes neues lesendes Publikum, das sich aus bis dahin nichtlesenden Schichten rekrutiert, meldet einen Bedarf an massenhafter Konsumliteratur an, wie sie seinem Bildungsstand entspricht. Der von der Trivialliteraturforschung längst konstatierte Tatbestand macht, wo er hier mit Auflagenzahlen belegt ist, erneut stutzen: daß eben die größten Erfolgsautoren der Zeit – etwa Bodenstedt für die Lyrik oder Hackländer und Wolff für den

Roman – heute unbekannt sind (Karl May ist eine Ausnahme), während die uns typischen Dichter des 19. Jahrhunderts – Keller, Storm oder Fontane – zu ihren Lebzeiten nur bescheidenen Lorbeer ernteten. Da man dieses Phänomen – geschult am klassischen literarischen Kanon – zu leicht aus den Augen verliert, mag das unhierarchische Nebeneinander in der Präsentation der Autoren seine Rechtfertigung im dokumentarischen Wert finden.

Das wachsende Interesse für Geschichte – geradezu ein Charakteristikum des 19. Jahrhunderts – und die Etablierung der historischen Wissenschaften werden belegt in den Porträts der großen Historiker (Ranke, Treitschke, Mommsen), die über ihr Fach hinaus mit einem erstaunlich umfangreichen Werk Einfluß auf Literatur und Politik und auf die Geisteshaltung ihrer Zeitgenossen und Nachfahren gewannen. Die Wissenschaft von der Literatur beginnt sich deutlich von der Schönen Literatur abzusetzen (Gervinus, Julian Schmidt, Scherer). Auf der Grenzlinie sind manche der schreibenden Gelehrten der Zeit anzusiedeln; akademisches Wissen fließt der Literatur reichlicher zu als Genialität, der Professorenroman erfreut sich größter Beliebtheit (Felix Dahn, Theodor Mundt). Auffällig ist die große Zahl beamteter Dichter, die neben ihrer Lehrtätigkeit in gesicherten Verhältnissen sich dem Schreiben widmen können (Bodenstedt, Dahn, Geibel, Grimm, Groth, Hertz, Mundt, Roquette, Vischer), Maximilian II. zieht durch großzügige Gehälter die Poesie nach München (Hertz, Heyse, Geibel, Lingg). Im Jahrhundert des Bürgertums ist die Ständegesellschaft noch keineswegs abgeschafft: die Verleihung des Adelsprädikats für schriftstellerische und damit vaterländische Verdienste ist noch immer begehrt (Dingelstedt, Bodenstedt, Scheffel, Lingg, Heyse, Ranke). Gering ist die Zahl der wirklich notleidenden Poeten (von den aus ihrer bürgerlichen Bahn geworfenen 48ern einmal abgesehen): Grabbe gehört dazu und Waiblinger; sie hatten keine Zeit sich zu etablieren; ein Sonderfall ist das Emigrantenschicksal Heinrich Heines. Im ganzen scheint der Dichter entschiedener als in früheren Zeiten an der wachsenden Prosperität seines Jahrhunderts teilzuhaben.

Wie mit diesem wachsenden Wohlstand das Selbstbewußtsein des Bürgers wächst, damit das Bedürfnis nach Kultur, nach der Imitierung des Lebenstils vornehmerer Schichten, in die es aufzusteigen gilt, zeigt sich sowohl in der Bildniskunst des 19. Jahrhunderts wie in seiner Literaturpräsentation. Seit der Jahrhundertmitte und zunehmend mit den Gründerjahren wird der Buchmarkt überflutet von einer Fülle von großformatigen Prachtausgaben, aufwendigen Goldschnittbänden, mindestens viertausend Lyrikanthologien, illustrierten Klassikerausgaben, bebilderten Zeitungen und Familienblättern, und diese Welle erfaßt auch die Bildniskunst, die Porträtproduktion und -distribution.

Um 1840 treffen die ins Detail verliebte frührealistische Ästhetik, der Bilderhunger einer neuen Leserschicht, die Etablierung des Bürgertums und die Erfindung der Photographie aufs Produktivste aufeinander. Die große Neuheit in der ersten Hälfte des Jahrhunderts war die Lithographie gewesen, die Kupferstich und Radierung an den Rand gedrängt hatte, weil sie dem geschickten Handwerker ohne großen Zeitaufwand eine gute Druckvorlage für eine viel größere Zahl von Abzügen bot. Aber das eigene Porträt als Lithographieblatt war nur den Privilegierten vorbehalten. Erst mit der Erfindung der Photographie 1839 und ihrer fieberhaften Weiterentwicklung bot sich jedermann (zumindest aus dem Bürgertum) die Möglichkeit, sich porträtieren zu lassen. Die Photographie hat die Kunst demokratisiert (Gisèla Freund), natürlich auch, indem sie schon bald nach ihrer Erfindung dem bürgerlichen Publikum die Kunstschätze der Welt – wenn auch in schlechten Reproduktionen – ins Haus lieferte. Dem biedermeierlichen Detailrealismus, ja Naturalismus kam die Porträtphotographie dermaßen entgegen, daß sie vielfach als der Gipfel der Bildniskunst erachtet wurde. Die Kunstphotographen der ersten Stunde waren denn auch vielfach brotlos gewordene Porträtisten: so zeigt z. B. der Maler Wilhelm Pero (vgl. die Kreidezeichnung von Grabbe) sein ‚Artistisch-Photographisches Institut' an, Hermann Brandseph (vgl. die Aufnahmen von Strauß und Vischer) wird noch 1851 als Silhouetteur und Bildnismaler erwähnt, später nur noch als Photograph.

In der zweiten Hälfte des Jahrhunderts, zumal in der Gründerzeit, bestimmt der Historismus alle künstlerischen Bereiche, so auch die Bildniskunst; die realistische, noch mit dem Auge des Malers hergestellte Porträtphotographie genügt dem Geschmack vielfach nicht mehr. Neue technische Erfindungen wie die Negativretusche, die Photokolorierung oder neue Abzugsverfahren wie der Gummidruck, mit dem sich die scharfen Konturen verwischen ließen, sind Mittel, die Photographie zu ‚verschönern', sie zum Ersatz für das Miniatur- und Ölporträt zu machen. Im Arrangement, in den Requisiten, in der Pose orientiert sich die Photographie an der Malerei der Zeit (vgl. die Photographie von Ottilie Wildermuth): kostbare Draperien, feudalistisches Szenarium, minuziöse Landschaftshintergründe assoziieren höfische Malerei des Spätmittelalters oder des 18. Jahrhunderts und stellen den photographierten Bürger mühelos in solche Zusammenhänge. Auf die Bildniswütigkeit des Publikums reagiert der Markt mit einer massenhaften Herstellung von Porträts: die entstehenden illustrierten Zeitungen und Familienblätter haben einen ständigen Bedarf an Bildnissen, Werkausgaben werden mit Dichterporträts geschmückt. Geschäftstüchtige Photographen kommen dem Bedürfnis der Zeit entgegen und veröffentlichen erfolgreich Porträtsammlungen, A. Löcherer und F. Hanfstaengl ihr ‚Photographisches Album der Zeitgenossen' (vgl. Dingelstedt und Riehl); ‚Brockhaus' Konversations-Lexikon', in der 13. Auflage von 1898, verzeichnet ein ‚Allgemeines historisches Porträtwerk, 1300–1848' mit 600 Phototypien in 6 Bänden, München 1883–1890. Carl Werkmeister beginnt 1901 mit der Fortsetzungsveröffentlichung seines im Großfolioformat gedruckten fünfbändigen Werks ‚Das 19. Jahrhundert in Bildnissen' bei der Photographischen Gesellschaft Berlin (vgl. das Porträt von Hamerling). Wie dringend das Lesepublikum seinen Poeten auch im Bild zu sehen und erst recht im Bild erhöht zu sehen wünscht, zeigt der Buchschmuck in Gedichtausgaben und Lyriksammlungen. In einer keineswegs konservativen Anthologie (Lust und Leid im Liede. Neue deutsche Lyrik ausgewählt von Hedwig Dohm und F. Brunold. 7. Aufl. Berlin und Leipzig. Um 1888) wird der Gedichttext von zarten Holzschnittdekorationen umrankt, die das Miniaturbildnis des Dichters (meist nach Photographien) in immer neuen Variationen einbeziehen. An Lenaus Bildnis im schweren Rahmen, in Wasserpflanzen eingebettet, lehnt trauernd eine Nixe (wohl eine Assoziation an die ‚Schilflieder'); Oskar von Redwitz' Antlitz schmückt ein Grabstein oder Denkmal, erhöht auf Stufen, darauf schwelt ein ewiges Feuer, musizierende Engel umschweben die weihevolle Stätte (obwohl der Dichter bei Erscheinen der Anthologie durchaus noch unter den Lebenden weilte). Putten und Elfen mühen sich sichtbar mit einem schweren mittelalterlichen Folianten, der als Titelbild den Kopf Hamerlings trägt. Auf Geibels Haupt senkt ein schwebender Engel einen Lorbeerkranz usw. (vgl. das Porträt von O. Roquette). Die Wertschätzung des Schönen, die Überhöhung der Kunst in außeralltägliche Bereiche kennt keine Grenzen. Der Denkmalkult der Zeit hat uns dieses Phänomen noch allseits sichtbar überliefert.

Daß bei solch einem massenhaften Bedarf die Qualität leidet, verwundert nicht. Viele der in diesem Bändchen reproduzierten Bildnisse sind mittelmäßige, routiniert hergestellte, aber wenig aussagende Massenware. Da die Photographie bis gegen Ende des Jahrhunderts nicht unmittelbar in den Buchdruck übertragen werden konnte, mußte sie zur massenhaften Veröffentlichung von bloß ausführenden Handwerkern wieder gestochen, in Holz geschnitten oder lithographiert werden. Nur wenige Porträts dieses Bandes bleiben wohl herausragende Zeugnisse der bildenden Kunst des 19. Jahrhunderts, vielleicht Kaulbachs Ludwig I., Renoirs Wagner, die Porträts von Karl Stauffer-Bern oder Liebermanns Fontane.

Ein eigenes Kapitel in der Geschichte der Porträtkunst oder besser des Porträtmarktes in der zweiten Hälfte des 19. Jahrhunderts beansprucht Franz von Lenbach. In ihm vereinigen sich eine hohe künstlerische Begabung, eine durch imponierenden Fleiß (zumal beim Kopieren alter Meister) erworbene Geschicklichkeit im Umgang mit der Farbe, Aufgeschlossenheit für die neue technische Möglichkeit Photographie, der historistische und konservative Geschmack, der dem seines Kunstpublikums, zumal aus Aristokratie und Großbürgertum, genau entsprach sowie Repräsentationsbedürfnis, Selbstdarstellung, der typisch vornehme Lebensstil der Zeit. Lenbach malte sein gründerzeitliches Publikum so, wie dieses vor der Gesellschaft erscheinen wollte, nicht wie es der Künstler sah. Ein Bismarck-Zitat sagt es offen: ,,Es freut mich, durch den Pinsel Lenbachs mich so verewigt zu sehen, wie ich der Nachwelt gern erhalten bleiben möchte!" (nach S. Wichmann, Lenbach und seine Zeit, Köln 1963, S. 196). Die Konzentration auf das Gesicht, oft ganz auf die Augen, und der durch eine raffinierte Lasurtechnik hervorgerufene Eindruck eines unermeßlich tiefen Hintergrundraumes in galeriegebräunten Tönen alter Meister, lassen jeden Kopf bedeutend erscheinen. Ein Jahrhundert später freilich drängt sich uns unangenehm die Diskrepanz auf zwischen einem ins Bedeutungsvolle, ja Geniale gehobenen Dichterhaupt und einem dazugehörigen schriftstellerischen Werk, das sich als nicht beständig, als trivial, bestenfalls epigonal erwiesen hat (vgl. die Porträts von H. Lingg und O. v. Redwitz). Daß Lenbach vor allem in späterer Zeit die Photographie dankbar zuhilfe nahm, schmälerte die Leistung nicht und steigerte den Erfolg: zum einen machte er Photostudien seiner Auftraggeber, zum anderen arbeitete er mit lichtempfindlich präparierter Leinwand, auf die er die oft retuschierte Photographie kopierte. Daß er auch auf andere Weise sich die Photographie zunutze machte, hat zu seinem enormen Erfolg sicherlich mit beigetragen. Kein Porträtist vor ihm hatte eine solche Publizität. Jedes neue Bildnis ließ der Meister sogleich photographieren und vielfach in illustrierten Zeitungen auch reproduzieren (vgl. Bismarck). „Pressenachrichten von sich wußte er geschickt zu lancieren" (Wichmann S. 70), von seinen Kunstausstellungen wurde sofort ausführlich berichtet. Umso wirkungsvoller war es also, von Lenbach gemalt zu werden. Eine eindrucksvolle Galerie der Gründerzeitgesellschaft entstand in seinem Atelier, ohne die uns mancher Charakterzug des Jahrhunderts unbekannt geblieben wäre. Mit acht Porträts ist Lenbach hier vertreten, die Zahl hätte sich vermehren lassen.

Drei verschiedene Stilrichtungen der Porträtkunst führen vom 18. durch das 19. zum 20. Jahrhundert: nach dem individuellen gemalten oder gezeichneten, aber nur Wenigen vorbehaltenen Porträt kommen billigere und zeitsparende Verfahren wie Scherenschnitt, Silhouette, Physionotrace-Porträts einem wachsenden Bildnisbedarf entgegen, die Photographie löst die handwerklichen Techniken ab, führt durch ständige technische Verbesserungen und andere Geschmackserwartungen, durch Retusche, Kolorierung, Stilisierung wie durch ihre Verwendung in der Malerei wieder zum Ölbild, indem sie seinen Stil kopiert oder, wie bei Lenbach, indem sie dem Ölbild das Gerüst gibt. Ein anderer Weg ist die Fortentwicklung einer ‚unverschönten' künstlerischen Porträtphotographie (vgl. die späte Aufnahme F. Th. Vischers v. H. Brandseph oder den eindrucksvollen Dilthey-Kopf). Daneben bleibt selbstverständlich das Porträt nach wie vor Thema auch der neuen Richtungen in der bildenden Kunst und läßt sich auch im 20. Jahrhundert von der Photographie nicht verdrängen. Max Liebermanns Zeichnung des Porträts von Theodor Fontane aus dem Jahre 1896 mag am weitesten in die Moderne vorausweisen.

Schriftsteller im Porträt

Willibald Alexis
eigentlich Georg Wilhelm Heinrich Häring
1798–1871

Der Kampf um nationale Einheit und bürgerliche Freiheit, der das politische Geschehen in Deutschland in der ersten Hälfte des 19. Jahrhunderts bestimmte, bildet den aktuellen Hintergrund, die englische und deutsche Romantik die literarische Voraussetzung jener Folge von Romanen aus der Geschichte Brandenburg-Preußens, die Willibald Alexis' Ruhm als Meister des historischen Romans begründete. – Geboren am 29. Juni 1798 in Breslau, verlebte Georg Wilhelm Heinrich Häring, so der bürgerliche Name, seine Kindheit und Jugend in Breslau und Berlin. 1815 nahm er als Freiwilliger am Krieg gegen Napoleon teil, ab 1817 studierte er in Breslau und Berlin Jura und Geschichte. Obgleich ein ausgezeichneter Jurist, entschied er sich – ermuntert durch den Erfolg seines Romans ‚Walladmor' (1823), einer Scott-Imitation, die die Zeitgenossen als solche nicht durchschauten – zum Journalisten- und Schriftstellerberuf. Als Mitarbeiter der ‚Vossischen Zeitung' (1824 und 1849), sowie als Herausgeber des ‚Berliner Conversationsblatts' und des ‚Freimütigen' (1827–1835), trat Alexis in Verbindung mit zeitgenössischen Schriftstellern (u. a. Fouqué, Eichendorff, Chamisso, Heine, Hebbel). In den Auseinandersetzungen mit der Zensur entwickelte sich seine politische Grundhaltung: als Monarchist und leidenschaftlicher Preuße verfocht er zugleich entschieden bürgerliche Rechte. – Neben der journalistischen Arbeit und geschäftlichen Unternehmungen schrieb er zunächst unbedeutende Novellen, Lustspiele und Romane, bis er mit ‚Cabanis' (1832) den ersten Roman aus der brandenburgisch-preußischen Geschichte veröffentlichte. Von den Jungdeutschen attackiert, versuchte er sich in zeitbezogener Prosa (‚Das Haus Düsterweg', 1835), bevor er mit ‚Der Roland von Berlin' (1840) die Reihe der vaterländischen Romane fortsetzte. Es folgten: ‚Der falsche Woldemar' (1843) und, 1846–1848, Alexis' wohl bekanntester Roman, ‚Die Hosen des Herrn v. Bredow', an dem sich Schwächen wie Stärken des Autors ablesen lassen: glänzende Charakterisierung, detailgetreue Naturschilderungen neben einer gewissen Umständlichkeit und Formlosigkeit. Nach ‚Ruhe ist die erste Bürgerpflicht oder Vor fünfzig Jahren' (1852), den Fontane für seinen besten Roman hielt, schloß Alexis die Reihe mit ‚Isegrimm' (1854) und ‚Dorothee' (1856) ab. Von 1858 bis zu seinem Tod am 16. Dezember 1871 lebte er krank und zurückgezogen in Arnstadt. – Anonymer Holzstich. (Staatliche Graphische Sammlung München)

Inka Mülder/Uwe Opolka

Ludwig Anzengruber
1839–1889

Poetisches Erbteil hat der ‚letzte Klassiker' des österreichischen Volksstücks, Ludwig Anzengruber (geb. am 29. November 1839 in Wien), von seinem früh verstorbenen Vater mitbekommen. Dieser war subalterner Hofbeamter bäuerlicher Herkunft und verfaßte (niemals aufgeführte) Theaterstücke. Die Studien an der Oberrealschule der Piaristen muß Anzengruber wegen Mittellosigkeit abbrechen, auch die Buchhändlerlehre währt nur kurz. Von 1860–1868 zieht er als Schmierenschauspieler, mit unzureichender mimischer Begabung, von Provinztheater zu Provinztheater. Journalistische Versuche folgen, materielle Not zwingt ihn zum Tagelohnschreiben, ehe er 1870 als Kanzlist in die Wiener Polizeidirektion eintritt und alle bisherigen dichterischen Versuche vernichtet. Die Aufführung des antiklerikalen, für den österreichischen Kulturkampf signifikanten Stücks ‚Der Pfarrer von Kirchfeld' macht ihn im selben Jahr mit einem Schlag berühmt. Wie sein Vater ist Anzengruber geprägt von der kirchenkritischen josephinisch-aufgeklärten Haltung des Liberalen vor 1848. Feuerbachs Lehren von der Auflösung der Religion in Anthropologie haben ihn nachhaltig beeindruckt. Die Bauernkomödie ‚Die Kreuzelschreiber' (1872) karikiert die Kirchenkämpfe um die Unfehlbarkeit des Papstes, ‚Der G'wissenswurm' geißelt Scheinfrömmigkeit und Intoleranz, und die Großstadttragödie ‚Das vierte Gebot' (1877) entlarvt die Unmenschlichkeit eines starren Dogmatismus. Anzengruber will, wie der befreundete Peter Rosegger, Volksaufklärer und -erzieher sein. Dazu bedient er sich der Tradition des Wiener Volkstheaters und bringt kritisch-realistische, teils humorvolle Volksstücke aus ländlich-bäuerlichem Milieu in stilisiertem Dialekt auf die Bühne (‚Der Meineidbauer', 1871). Seine (antiklerikale) Thematik indes war zeitbedingt: Der Erfolg nahm ab, Wirtschaftskrise und politisches Desinteresse trieben das Publikum der Vorstadttheater zu Operette und seichter Unterhaltung. Enttäuscht und erneut in wirtschaftlicher Notlage wendet sich Anzengruber dem Volkskalender und der epischen Form zu. ‚Der Sternsteinhof' (1885), ein bäuerlich-realistischer Roman, prägt neben den Erzählungen ‚Zu fromm', ‚Der Einsam' und den ‚Märchen des Steinklopferhanns' sein episches Hauptwerk. Am 10. Dezember 1889 stirbt der streitbare, mit dem Schiller- und Grillparzerpreis geehrte Dichter an Blutvergiftung, kurz nachdem ihn nach zerrütteter Ehe seine Frau verlassen hatte. – Xylographie von August Schubert. (Bildarchiv der Österreichischen Nationalbibliothek Wien) *Eduard Beutner*

Berthold Auerbach
1812–1882

Berthold Auerbach, geboren am 28. Februar 1812 als Sohn eines jüdischen Kleinhändlers aus dem Schwarzwalddorf Nordstetten, wurde als Student wegen hochverräterischer Umtriebe (Burschenschaft!) vom Rabbinatsexamen ausgeschlossen. Er lebte danach von literarischen Gelegenheitsarbeiten, schrieb die Romane ‚Spinoza' (1837) und ‚Dichter und Kaufmann' (1840) und übersetzte Spinozas Schriften (1841). Diese Arbeiten zeigen ihn auf seiten des weltoffenen, im Humanitätsgedanken aufgehenden Judentums. – Schlagartig wurde er zum meistbesprochenen deutschen Autor seiner Zeit durch die ‚Schwarzwälder Dorfgeschichten' (Buchveröffentlichung 1843–1854). Voraussetzung dieses Erfolgs war eine über die Not der Landbevölkerung alarmierte Öffentlichkeit, die erstmals das Soziale als Grundbedingung der Politik erkannte; ferner die Begeisterung für den politischen Liberalismus. Im Einklang mit diesen Zeitstimmungen stellte Auerbach die Schattenseiten des Volkslebens als Folgen des Obrigkeitsstaates dar, verherrlichte daneben die eigenwüchsige Sittlichkeit des Volks und knüpfte hieran die Forderung politischer Freiheitsrechte. Bald entstand eine heftige Dorfgeschichten-Konkurrenz, aber die Geschichte begünstigte Auerbach: Weil sein demokratisches Engagement im Rahmen der Legalität geblieben war, überstand sein Werk den Zusammenbruch der Revolution von 1848/49. Er wurde zum Musterautor des sich nun durchsetzenden bürgerlichen Realismus, vor allem durch die mäßigende Verbindung von Volkstradition und Aufklärung, Regionalismus und Nationalismus, Realismus und Formkunst. ‚Schrift und Volk' (1847) ist eine wichtige Programmschrift des deutschen Realismus. – Zum Nachteil des Autors ist heute nur ‚Barfüßele' (1856) bekannt. Von den Erzählungen sind ‚Der Lehnhold' und ‚Diethelm von Buchenberg' (1854) hervorzuheben, vor allem aber der Roman ‚Auf der Höhe' (1865), der auf Lessings ‚Emilia Galotti' fußend den Neoabsolutismus kritisiert. – Neben seinen Werken für ein gebildetes Publikum verfaßte Auerbach volkspädagogische Texte, wobei er J. P. Hebel zum Vorbild nahm. – Es blieb dem Dichter nicht erspart, im neuen Reich, dessen Gründung ihn begeistert hatte, das Wiedererwachen des Antisemitismus zu erleben. Er starb am 8. Februar 1882. – Carl Spitzweg schrieb unter sein Bleistiftporträt vom 7. August 1855: „So zeichnet mer mit kurze Strichele / De kleine untersetzte Liedermichele". (Schiller-Nationalmuseum Marbach a. N.)

Werner Hahl

Otto von Bismarck
1815–1898

Nicht mit der Gelassenheit eines ergrauten Staatsmannes und auch nicht in der Absicht, sein Leben und politisches Tun subjektiv und ausgewogen zugleich dem Urteil der Zeitgenossen mitzuteilen, sind Bismarcks ,Gedanken und Erinnerungen' 1898 erschienen. Sie waren vielmehr wohlberechnet auf die Erfahrungen und Erwartungen eines Leserpublikums, das die Betroffenheit des Autors, 1890 als Reichskanzler aus seinen Ämtern entlassen, gleichzusetzen wußte mit der eigenen Erinnerung an die Reichsgründertage. Sie waren genau kalkuliert auf das Bedürfnis der Öffentlichkeit, Bismarck als den ,,Schmied des deutschen Reiches" und den Architekten einer ausgewogenen Außenpolitik im Herzen Europas zu heroisieren. Sein Memoirenwerk bot staatsmännische Reflexionen über die Lage Deutschlands, brillant-anekdotische Erzählungen, politisch belehrende Betrachtungen, aber auch polemisch formulierte Passagen, die eine Veröffentlichung des zweiten Bandes zu Lebzeiten Wilhelms II. für wenig opportun erscheinen ließen, obwohl er dann doch schon 1921 gedruckt wurde. Ein zutiefst gekränkter Politiker, der ,,mißverstandene Bismarck", verstärkte in einem bedeutenden Zeugnis politisch-historischer Memoirenliteratur in Deutschland seinen eigenen Mythos. Für wenige entlarvte er sich allerdings – nicht nur hier, sondern mehr noch durch seine bissigen Pressekommentare zum Zeitgeschehen – vor allem als Bewunderer seiner selbst. – Otto von Bismarck (1. April 1815–30. Juli 1898) konnte auf ein bewegtes Leben zurückschauen. Bismarcktürme und -plätze, Bismarckheringe und -zigarren, Bismarckhüte und -gedächtnisfeiern zeugten noch lange über seinen Tod hinaus vom ,,Alten aus dem Sachsenwalde". Vor seiner Ernennung zum preußischen Ministerpräsidenten (1862) durchlief der Sohn eines Rittergutsbesitzers nach dem Jurastudium eine Karriere als Gesandter: am Bundestag in Frankfurt, in Paris und in Petersburg. Mit den Kriegen gegen Österreich und Frankreich trieb er das deutsche Einigungswerk unter Preußens Führung voran. Die Verfassung von 1871 war ihm – wie man sagte – auf den Leib geschnitten. Ein kunstvoll erbautes System von Allianzen, der Kulturkampf gegen die katholische Kirche, Sozialistengesetze und Sozialgesetzgebung bestimmten weiterhin seinen Weg – er läßt sich hier jedoch nicht annähernd beschreiben. – Der neueste ,Bismarck' von Lenbach (in fast 100 Variationen gemalt) wurde als Holzschnitt in der Kunstbeilage zur Leipziger ,Illustrirten Zeitung' 1895 vorgestellt.

Jürgen W. Schaefer

Friedrich von Bodenstedt

1819–1892

„Kein Mensch ist mehr zulaikatoll, / Dein Bülbülschwindel ist verkracht, / Wir sind den alten Krimskrams satt." So bedenkt Arno Holz 1885 in seinem ‚Buch der Zeit' Friedrich Bodenstedt. Mit diesem Urteil kann er jedoch den anhaltenden Erfolg der 1851 erstmals erschienen ‚Lieder des Mirza Schaffy' nicht aufhalten. Diese Sammlung von orientalisierenden Gedichten, die lange Zeit als Übertragung morgenländischer Originale galt, übertraf selbst Geibels Lyrik an Popularität und ist das am meisten aufgelegte lyrische Werk der Zeit, beliebt, weil im exotischen Kostüm doch wieder vertraute Mentalität, anakreontische Lebensfreude, carpe-diem-Stimmung, bekannte Lebensweisheiten zum Ausdruck kamen. Der am 22. April 1819 in Peine geborene Handwerkersohn, zum Kaufmann bestimmt, sich aber autodidaktisch in Sprachen ausbildend, war seit 1840 in Moskau als Hauslehrer tätig und konnte drei Jahre später in Tiflis eine Gymnasiallehrerstelle annehmen. Sein abenteuerlicher Aufenthalt in Rußland und Georgien gab ihm entscheidende Eindrücke. Seit der Rückkehr 1845 verarbeitete er seine Erlebnisse kulturhistorisch und literarisch. Bekannt wurde er vor allem durch seine poetische Schilderung ‚Tausend und ein Tag im Orient'. Rasch wechselnde Aufenthalte in Stuttgart, München, auf dem ‚Musensitz' von Karl Otto von der Malsburg in Hessen, in Italien und Österreich, in Berlin und Gotha bringen den Unsteten mit den verschiedensten Persönlichkeiten zusammen. Er arbeitet mehrfach als Journalist, bis er 1854 von Maximilian II. nach München berufen und als Mitglied des Gelehrten- und Dichterkreises zum Honorarprofessor ernannt wird. Bodenstedt legt unermüdlich neue Gedichtbände vor, übersetzt Shakespeares Sonette und Dramen sowie mehrere russische Autoren, verfaßt epische und dramatische Dichtungen und wird aus Geldmangel zum Vielschreiber wertloser Romane. 1867 geadelt, nimmt er eine Berufung des Herzogs Georg von Meiningen als Intendant des dortigen Hoftheaters an. Mangelnde Erfahrung verhindert seine Karriere, so daß er zurücktritt und sich schließlich 1877 in Wiesbaden niederläßt, wo er am 18. April 1892 stirbt. Sein Ruhm als Lyriker, Kulturhistoriker und besonders als erster Übersetzer Puschkins, Turgenjews und Lermontows hält noch lange an. – Frontispiz seiner 1852 von Adolf Bartels in Berlin herausgegebenen ‚Gedichte'.

Günter Häntzschel

Georg Büchner
1813–1837

Wegen ,,staatsverräterischer Handlungen" wird Georg Büchner 1835 steckbrieflich gesucht – Schicksal eines bürgerlichen Revolutionärs, der die spätabsolutistischen Praktiken seines Landesherrn anprangert. – Als Sohn eines Medizinalrats in Großherzoglichen Diensten kommt Büchner am 17. Oktober 1813 in Goddelau zur Welt. Bereits in der Schule verfaßt er schwungvolle Reden über historische Heldentaten, ehe er 1831 im französischen Straßburg sein Medizinstudium beginnt. Der genius loci beflügelt sein stürmerisch-freiheitliches Bewußtsein: eine gewaltsame Staatsumwälzung hält er für angebracht. Ein Jahr später (1834) schreitet er in Gießen zur Tat: nach der Gründung einer ,Gesellschaft für Menschenrechte' verfaßt er den ,Hessischen Landboten', eine Flugschrift, die ,,Friede den Hütten! Krieg den Palästen!" schwört. Die erhoffte Rebellion aber scheitert. Nur durch die Flucht nach Straßburg kann Büchner sich retten. Zuvor allerdings schreibt er in Hast sein erstes Drama: ,Dantons Tod'. Eine melo-dramatische Szenenfolge, in der die Französische Revolution sich selbst hinrichtet. Freiheit hat ausgespielt; die ,,Guillotine republicanisiert!". – In Straßburg übersetzt er Victor Hugo zum Broterwerb und dringt in die Philosophie ein (Descartes, Spinoza). Der leidenden Kreatur bleibt seine künstlerische Anstrengung zugewandt: ,,Leben, Möglichkeit des Daseins" verlangt die Hauptgestalt seiner ,Lenz'-Novelle – Büchners künstlerisches und menschliches Vermächtnis. Aber auch diese sind in dem unvollendeten Dramenentwurf ,Woyzeck' dem ,Helden' – einem gesellschaftlich und physisch verstümmelten Außenseiter – versagt. Zwanghaft-mechanisch wird er zum Mord an seiner Geliebten getrieben. Selbst Büchners einziges Lustspiel ,Leonce und Lena' (1836), sprühend von Wortwitz, kann Trauer und ,ennui' nicht verbergen. – In der Naturwissenschaft hofft Büchner dem Leben – dem Lebensschmerz – auf die Spur zu kommen: Nur der Selbstzweck des Organismus verbürgt ihm ,,Schönheit" und ,,Harmonie", die er im chaotischen Prozeß der Geschichte vermißt. Auf Grund seiner Promotion über das Nervensystem der Fische (1836) und einer Probevorlesung über Schädelnerven wird er Privatdozent an der Universität Zürich. Doch löscht eine Typhuskrankheit das kometenhafte Leben des 23jährigen bereits am 19. Februar 1837 aus. – Die stilisierte Porträtlithographie stammt von H. A. Valentin Hoffmann. (Anneliese Beyer, Darmstadt) *Friedrich Strack*

Jacob Burckhardt
1818–1897

Jacob Burckhardt hat am wissenschaftlichen Leben seiner Zeit kaum teilgenommen, aber seine Gedanken wirken weiter, nachdem der Ruhm der meisten seiner Zeitgenossen vergilbt ist. Er wurde am 25. Mai 1818 als Sohn eines Basler Pfarrers geboren, und der plötzliche Tod der Mutter hinterließ bei dem Elfjährigen einen bleibenden Eindruck von der Unsicherheit alles Irdischen. Nachdem er das Theologiestudium aufgegeben hatte, studierte er Geschichte in Berlin und habilitierte sich 1844 in Basel. Seit 1858 Professor an der Basler Universität, sah er seine Aufgabe ‚in der allgemeinen Anregung zur geschichtlichen Betrachtung der Welt'. Daneben unterrichtete er am Pädagogium, hielt öffentliche Vorträge und verbrachte seine Ferien auf kunstgeschichtlichen Reisen. 1886 ließ er sich vom historischen Amt entlassen und hielt dann bis 1893 nur noch Vorlesungen über Kunstgeschichte. Er starb am 8. August 1897. Zu seinen Lebzeiten veröffentlichte er nur vier Bücher: ‚Die Zeit Constantins des Großen' (1852), ‚Der Cicerone. Eine Anleitung zum Genuß der Kunstwerke Italiens' (1855), ‚Die Kultur der Renaissance in Italien' (1860) und ‚Geschichte der Renaissance' (1867). Der Schlüssel zum Verständnis seines Werks liegt in den ‚Weltgeschichtlichen Betrachtungen', einem Versuch, die Aporien des Historismus durch ein typologisches System von historischen Konstanten zu überwinden. Seiner Geschichtsschreibung gelingt es, die Eindimensionalität der Synchronie durch Parallelen mit früheren und späteren Stadien zu erweitern. Auch in der Kunstgeschichte wollte er die Künstlerbiographien durch eine systematische Darstellung nach Sachen und Gattungen ergänzen. Burckhardts Arbeiten verdanken ihre Dauerhaftigkeit seiner einzigartigen Kenntnis der Primärquellen und der Fähigkeit, das Typische im singulären Ereignis zu erkennen. Dazu kommt ein Stil, der mit seinen Ironien, Bildern und Fremdwörtern das streng Wissenschaftliche meidet und den Schutt der Vorarbeiten sorgfältig vor dem Leser verbirgt. Als Kulturkritiker hat er die Krise des 19. Jahrhunderts analysiert. Er verabscheute die kapitalistische Entwicklung seiner Zeit, fürchtete das bildungsfeindliche Proletariat, haßte den allmächtigen Staat und sah einen unvermeidlichen Konflikt zwischen Proletariat und Kapitalisten voraus. Dabei war er aber keineswegs ein apolitischer Ästhet, sondern ein zutiefst vom Pathos des Freiheitsgedankens durchdrungener Moralist. – Die Photographie hat Hans Lehndorff, der Großneffe Jacob Burckhardts, 1892 angefertigt.

Peter Ganz

Wilhelm Busch
1832–1908

Wilhelm Busch wurde am 15. April 1832 im niedersächsischen Dorf Wiedensahl geboren. Der Vater war Krämer und übergab seinen Sohn 1841 zur weiteren Erziehung seinem Schwager, Pastor Georg Kleine in Ebergötzen bei Göttingen. Sechs Jahre später beginnt er eine Ausbildung in Hannover als Maschinenbauer, bricht aber das Studium 1851 gegen den Willen der Eltern ab und schreibt sich an der Kunstakademie Düsseldorf als Schüler ein; von dort wechselt er 1852 an die Königliche Akademie der Schönen Künste in Antwerpen. Hier erlebt er die erste intensive Begegnung mit den niederländischen Meistern. Nach einer schweren Typhuserkrankung, verbunden mit krisenhaften Selbstzweifeln, kehrt er zu den Eltern zurück, 1854 setzt er das Kunststudium in München fort, wo ihn Caspar Braun für seine satirische Zeitschrift, die ‚Fliegenden Blätter', und für die ‚Münchner Bilderbogen' verpflichtet. Busch beginnt mit der Entwicklung und Vervollkommnung der Bildergeschichte und führt dieses künstlerische Medium zu einer sowohl von seinen wenigen Vorgängern (R. Toepffer, G. Doré) wie auch seither unerreichten Höhe, insbesondere in der Kunstfertigkeit der Bilderschrift, der Bewegungsdarstellung, der Dramaturgie und der Versgestalt des Textes. Innerhalb von 20 Jahren erscheinen seine großen Bildergeschichten: ‚Max und Moritz', 1865; ‚Hans Huckebein', 1867; ‚Die Fromme Helene', 1872; ‚Knopp'-Trilogie 1875–1877; ‚Fipps der Affe', 1879; ‚Balduin Bählamm', 1882; ‚Maler Klecksel', 1884. Buschs Tätigkeit beschränkt sich nicht nur auf das Zeichnen seiner Bildergschichten. Isoliert von der zeitgenössischen Kunstszene und ohne auch nur seine engsten Freunde einzuweihen, entwickelt er, ausgehend von der Technik der niederländischen Genremalerei, eine skizzenhafte, expressiv-bewegte und bis zur abstrakten Formgebung reichende Malweise, die ganz fremd zum Malstil der Gründerzeit und der Münchner Malerschule steht und in vielem Stiltendenzen der Moderne vorwegnimmt. Ähnliches gilt für seine Gedichte (‚Kritik des Herzens', 1874; ‚Zu guter Letzt', 1904) und besonders seine Prosatexte (‚Eduards Traum', 1891; ‚Der Schmetterling', 1895), deren wichtigste Darstellungsformen wie Ironie, Fragment, Montage und verfremdendes Zitat auf die moderne Literaturentwicklung vorausweisen. Als Busch am 9. Januar 1908 stirbt, ist diese Bedeutung den wenigsten Zeitgenossen bewußt. – Franz von Lenbach porträtierte seinen Freund Wilhelm Busch mehrfach. Das Ölbild entstand 1880. (Wilhelm Busch-Museum Hannover) *Gert Ueding*

Felix Dahn
1834–1912

„Das höchste Gut des Mannes ist sein Volk" – Felix Dahns Standardsatz steht über seinem gesamten Lebenswerk. Dem am 9. Februar 1834 geborenen Sohn einer in München hochverehrten Schauspielerfamilie war während breit angelegten Studiums der nachromantische Historismus zum entscheidenden Bildungserlebnis geworden; erste literarische Versuche in diesem Sinne (Epos ‚Harald und Theano', 1855) fanden Anerkennung durch Rückert und im Münchner Dichterkreis um Geibel und Heyse, aber kaum öffentliche Resonanz. So konzentriert sich Dahn auf seine Tätigkeit als Privatdozent für Deutsches Recht, und 1863 endlich befreit der Ruf nach Würzburg aus bedrückender Geldnot. Aus literarischer Entmutigung aber löst ihn erst die Begegnung mit der zweiten Gattin Therese (geb. Droste-Hülshoff), mit der er, von freiwilliger Kriegsteilnahme 1870/71 begeistert zurückgekehrt, nach Königsberg geht. In rascher Folge entstehen Dramen (‚Deutsche Treue', 1875), und 1876 erscheint nach langer Vorbereitung der Ostgotenroman ‚Ein Kampf um Rom', der Dahn berühmt macht. In der geschickt arrangierten Verbindung historischer Kenntnis und idealisierender Schilderung germanischer Überlegenheit war der Prototyp des sogenannten Professorenromans gelungen, der vielfach nach 1871 die neue ‚Blüte des Vaterlands' historisch ‚begründete', und kulturgeschichtlicher Tendenz wie dekorativer Lebensstimmung der Zeit entsprach. Der große Erfolg des ersten Romans verleitete Dahn zur steten Nachahmung des eigenen Beispiels (‚Die Kreuzfahrer', 1884; ‚Julian der Abtrünnige', 1893), doch mußte die Manier, kraftstrotzendes Germanentum gegen moralisch verkommende hellenisch-römische Welt und christliche Diesseitsverachtung auszuspielen, allmählich erstarren. Jahrzehnte der Popularität genießend, konnte Dahn es jedoch verschmerzen, sich „in aufrichtiger Selbsteinschätzung lediglich für einen Dichter dritten Ranges" bezeichnen zu müssen. Streng hatte er sein Schreiben unter nationalen Auftrag gestellt, persönlich sich an seiner letzten akademischen Wirkungsstätte Breslau (von 1888 bis zu seinem Tod am 3. Januar 1912) als Hüter des Deutschtums im Osten gesehen; dem beliebten Autor und unermüdlichen Gelehrten (‚Die Könige der Germanen', 20 Bände 1861–1911) war der Kult mit der Geschichte zum Kult deutschen Erfolgs, die Literatur dabei zur Festrednerei geraten. – Die Photographie stammt nach der handschriftlichen Datierung von 1881 und befindet sich im Besitz des Schiller-Nationalmuseums Marbach a. N. *Rüdiger Bolz*

Wilhelm Dilthey
1833–1911

Dem alle Lebensgebiete ergreifenden Materialismus ein Bollwerk entgegenzusetzen: nichts Geringeres hat Wilhelm Dilthey sich vorgenommen. Sein Grundgedanke: Geschichtliches Verstehen ist möglich, weil wir selbst die Geschichte machen. Da wir in uns selbst die ‚teleologischen Leistungen' der Psyche beobachten, durch die aus der Integration von ‚Erlebnissen' Individualität erwächst, und da wir dies auf alles Geschichtliche übertragen können, sind wir auf Vererbungs-, Reflex- oder gar Basis-Überbau-Theoreme nicht angewiesen. – Aus nassauischem Pastorengeschlecht, geboren am 19. November 1833, wendet er sich früh der Philosophie zu. Als Oberschüler (erinnert er sich später) entdeckt er beim Stöbern in der väterlichen Bibliothek Kants Logik. Ihn ergreift die Leidenschaft „zu wissen um des Wissens selbst willen" – während draußen, von ihm unerwähnt, die gerade auch in Nassau heftige Revolution niedergeschlagen wird. Das Theologiestudium (ab 1851 in Heidelberg) betreibt er nur halbherzig. Seit 1853 in Berlin, gilt sein Interesse der Philosophie, der Geschichte und zunehmend der Politik des liberalen Bürgertums. In der ‚Neuen Ära' ergreift er Partei im Sinne der sich formierenden ‚Nationalliberalen', erkennt jedoch bald seine Berufung in der Wissenschaft und erkämpft, mit Rezensionen, belletristischen Versuchen und väterlicher Unterstützung sich über Wasser haltend, schließlich die akademische Laufbahn. 1864 folgen unmittelbar aufeinander Promotion und Habilitation. 1866 wird er nach Basel, 1868 nach Kiel, 1871 nach Breslau berufen. Der Durchbruch erfolgt 1883, ein Jahr nach seinem Ruf nach Berlin, mit dem ersten Band der ‚Einleitung in die Geisteswissenschaften'. Unter dem Eindruck von Bismarcks Politik reduziert er seinen Begriff von politischer Praxis des Bürgers auf machtgeschützte Kulturheroik. Die angestrebte ‚Praxiswissenschaft' gerät zu einer folgenlos-relativistischen Typologie von Weltanschauungen. Die Wende zur hermeneutischen Begründung des Verstehens in den letzten Lebensjahren bleibt Impuls, auf den sich aber seine Aktualität gründet: Habermas sieht darin den Ansatz zu einer auf kommunikatives Verstehen gerichteten Gesellschaftstheorie. Dilthey, fast erblindet, stirbt am 1. Oktober 1911 über dem Versuch, sein (heute in 18 Bänden vorliegendes) Werk aus den Zettelkästen heraus neu zu ordnen. – Nichts charakterisiert sein Werk so treffend, wie die fragend-staunende Offenheit des „rätselhaften Alten" (Georg Misch). (Die Großen Deutschen, Bd. 4, Berlin, 1957)

Christofer Zöckler

Franz Dingelstedt
1814–1881

Den „Wetterfahnen" mußte sich Franz Dingelstedt (geboren am 30. Juni 1814 in Halsdorf/Hessen; gestorben am 15. Mai 1881 Wien) zurechnen und der „Verhofräterei" sich bezichtigen lassen – ausgerechnet von Heinrich Heine, den er seit Jugend bewundert hatte. Es war 1843, als Dingelstedt jenen Schritt tat, der seinem Leben einen von ihm selbst lange nicht verwundenen Bruch zufügte. Bis dahin hatte er – nach dem Marburger Theologiestudium (1831–1834) – als Lehrer in Ricklingen (Hann.) und Kassel gearbeitet und sich einen gewissen Namen als oppositioneller Literat gemacht: mit Gedichten, erzählender Prosa, Reiseliteratur, mit ‚Spaziergängen eines Casseler Poeten', die seine Strafversetzung nach Fulda nach sich zogen. Die dort entstandenen ‚Lieder eines kosmopolitischen Nachtwächters' verschafften ihm, dank Julius Campe und seinem für kritisches Schrifttum renommierten Verlag und dank dem Aufsehen erregenden Eingriff der Zensur, fast über Nacht den Ruf eines Wortführers der engagierten Poeten. Während Dingelstedt ab Herbst 1842 als Korrespondent von Cottas ‚Allgemeiner Zeitung' Westeuropa bereiste, erfreute er sich der persönlichen Zuwendung von Georg Herwegh und Heine in Paris und der Anerkennung von Hoffmann von Fallersleben, Robert Prutz und anderen Vormärz-Dichtern. Um so herber war die Enttäuschung, als Dingelstedt – das journalistische Wanderleben leid und wohl mit Rücksicht auf seine spätere Frau, die Sängerin Jenny Lutzer – eine Stelle mit Hofrattitel als Bibliothekar und Vorleser des württembergischen Königs in Stuttgart annahm. Von Stund an als Renegat geächtet, konnte er seine Poetenlaufbahn nicht geradlinig fortsetzen. Nach und nach öffnete sich ihm ein neuer Bereich, die Bühne. Als Dramaturg in Stuttgart (ab 1846), Intendant in München (1851) und – auf Fürsprache von Liszt – in Weimar (1857) leistete er, wie seine ‚jungdeutschen Kollegen' Laube und Gutzkow, seinen Beitrag zur Theaterreform: neben der Verankerung der deutschen Klassiker und Shakespeares (1864 erstmals Zyklus der ‚Historien') im Repertoire entwickelte er Formen moderner Regie, womit er vielfach den Meiningern vorarbeitete. Die Leitung von Hofoper und Burg in Wien (ab 1867) krönte samt Adelsprädikat und Freiherrntitel die Theaterkarriere Dingelstedts, die die Laufbahn eines ‚Nachtwächters' für Deutschlands Fortschritt und Demokratie ersetzt hatte. – Alois Löcherer nahm Dingelstedt für sein ‚Photographisches Album der Zeitgenossen' (1853) auf. (Münchner Stadtmuseum) *Hans-Peter Bayerdörfer*

Annette von Droste-Hülshoff
1797–1848

Anna Elisabeth Freifräulein von Droste zu Hülshoff wurde am 10. Januar 1797 auf der gleichnamigen Wasserburg bei Münster geboren. Zeitlebens blieb sie den Bedingungen ihres Standes unterworfen, zumal sie sich auch nach dem Tod des geliebten Vaters (1826) den Entscheidungen der Familie fügte. Abwechslung in das einsame Leben auf Rüschhaus, dem Witwensitz der Mutter, brachten Reisen zu Verwandten, insbesondere seit der Vermählung der Schwester Jenny mit Joseph von Laßberg zur Meersburg, wo sie am 24. Mai 1848 starb. Wie wichtig für sie privat die Beziehungen zu Straube (1820) und Schücking (1837/46) waren, bezeugen nur wenige verhaltene Texte. Literarische Anregungen gaben ihr der dem Göttinger Hain nahestehende Sprickmann, der Haxthausen-Kreis mit den Grimms, die an Weimar orientierte Adele Schopenhauer, der konservative Philosophieprofessor Schlüter und der liberale Schriftsteller Schücking. Letztere ebneten ihr den Zugang zur literarischen Öffentlichkeit, indem sie z. B. ihre beiden Buchpublikationen betreuten: Schlüter mit Junkmann die schmale Ausgabe der ‚Gedichte' von 1838, Schücking 1844 die bedeutende bei Cotta, von deren Honorar die Droste sich in Meersburg das idyllische Fürstenhäusle kaufte. Drei Einzelveröffentlichungen sind hervorzuheben: die anonymen, z. T. schauerlichen Balladen in Freiligraths und Schückings ‚Malerischem und romantischem Westfalen' (1839/41), die Novelle ‚Die Judenbuche' (1842), die aufgrund ihrer Sprachkraft und Bildlichkeit, der frührealistischen Erzählweise und der noch heute beeindruckenden Aussage zur Weltliteratur zählt, sowie die anonymen ‚Westfälischen Schilderungen' (1845). Wirkung zu Lebzeiten erreichte die Droste kaum; denn ihre im Kern konservative Gesinnung widersprach zumal im Vormärz der Mode. Hinzu kam eine wachsende, krankheitsbedingte Resignation. Große Pläne blieben Fragment. Aus dem Nachlaß erschien 1851 das ‚Geistliche Jahr'. Zum Kanon gehören heute die ‚Heidebilder' (‚Der Knabe im Moor'), Balladen (‚Die Vergeltung') und reflexive Gedichte (‚Im Grase', ‚Am Turme', ‚Das Spiegelbild'). Wichtig bleibt, daß hier eine Frau trotz gesellschaftlicher und konfessioneller Bindungen liberale Gedanken entwickelte, eine von eigenem Ton geprägte Aussage fand, die kleinen Dinge der Natur und ihrer Umgebung poetisch darstellte und das Westfalen des 19. Jahrhunderts zeitüberdauernd schilderte. – Kleines Porträt von Johannes Sprick, 1840. (Westfälisches Landesmuseum Münster)

Winfried Woesler

Marie von Ebner-Eschenbach
1830–1916

„Eine gescheite Frau hat Millionen geborener Feinde: alle dummen Männer." – „Sag etwas, das sich von selbst versteht zum erstenmal, und du wirst unsterblich sein." – „Die meisten Menschen brauchen mehr Liebe als sie verdienen." – „Genug weiß niemand, zu viel so mancher." – „So mancher meint ein gutes Herz zu haben und hat nur schwache Nerven." – „Der Gescheitere gibt nach! Eine traurige Wahrheit; sie begründet die Weltherrschaft der Dummheit." – „Nicht jeder große Mann ist ein großer Mensch." – Marie von Ebner-Eschenbach war eine große Frau und ein großer Mensch. Ihre Aphorismen (1880) enthalten eine Fülle tiefster Menschenkenntnis und Lebensweisheit, und sie hat sie nicht nur theoretisch ausgesprochen, sondern auch gelebt. Eine Gräfin Dubsky, wurde sie am 13. September 1830 im Schloß Zdislavic in Mähren geboren, heiratete 1848 ihren Vetter Moritz von Ebner-Eschenbach, den nicht unbedeutenden Naturwissenschaftler und späteren Feldmarschalleutnant, und zog mit ihm nach Wien, wo sie mit einer Unterbrechung (1851–1863 in Klosterbruck bei Znaim) bis zu ihrem Tode am 12. März 1916 verblieb. Nicht so geradlinig wie ihr Leben verlief der Weg ihres dichterischen Schaffens. Sie versuchte sich zunächst wie so viele realistische Erzähler des späteren 19. Jahrhunderts erfolglos auf dramatischem Gebiet, aber auch die heute zu ihren Hauptwerken zu rechnende Erzählung ‚Božena' (1876, 2. Aufl. erst 1895) wurde wenig beachtet. Der Durchbruch gelang mit ‚Lotti, die Uhrmacherin' (1880), der dann viele bedeutende und anerkannte Erzählungen (die sich mitunter zu kleineren Romanen ausweiten) folgten, etwa ‚Die Freiherrn von Gemperlein' (1881), ‚Das Gemeindekind' (1887) oder ‚Unsühnbar' (1890). Wie die Dichterin den Winter in der Stadt, den Sommer auf dem mährischen Schloß verlebte, so steckte sie die Grenzen ihrer besten Werke um diesen Kreis: ‚Dorf- und Schloßgeschichten' (1883, 1886) sind die meisten ihrer Erzählungen, und sie sind geprägt durch realistische und psychologische Schilderung der adeligen wie der kleinbürgerlichen und bäuerlichen Gesellschaft, durch eine engagierte sozialkritische Tendenz und humanitäre Gesinnung, vor allem auch durch eine feinsinnige und kunstvolle Durchformung. Marie von Ebner-Eschenbach zählt zu den bedeutendsten deutschen Dichterinnen. – Das Altersfoto ist im Besitz der Deutschen Staatsbibliothek Berlin/DDR (Handschriftenabteilung/Literaturarchiv).

Karl Konrad Polheim

Friedrich Engels
1820–1895

„Erst durch Engels haben wir Marx begreifen gelernt", dieses Bekenntnis Karl Kautskys beschreibt treffend die Wirkungsgeschichte Friedrich Engels' (geb. in Barmen am 28. November 1820, gest. in London am 5. August 1895). – Dem Elternhaus, geprägt von Pietismus, nüchternem kaufmännischen Denken und deutscher Nationalliteratur, entfremdete sich Engels während einer kaufmännischen Lehre in Bremen und der Militärzeit in Berlin (1841/42). Hier hörte er philosophische und theologische Vorlesungen und widmete einen großen Teil seiner Zeit dem Werke Hegels. Weitaus wichtiger wurde jedoch die sich anschließende zweijährige Tätigkeit in der Firma Ermen & Engels in Manchester. Die Lebensbedingungen der frühen Fabrikarbeiterschaft erschütterten den Industriellensohn. Direkt und engagiert, dies kennzeichnet Engels, reagierte er darauf mit seiner Schrift ‚Die Lage der arbeitenden Klassen in England' (1845). Sein sozialkritisches Erstlingswerk erregte schnell Aufsehen und zählt noch heute zu den bedeutenden Werken deutscher Pauperismusliteratur. „Vollständige Übereinstimmung" in der Analyse der industriellen Revolution hatten schon zuvor Engels und Karl Marx in Brüssel erzielt – Ausgangspunkt einer lebenslangen Freundschaft und politischen Weggenossenschaft (vgl. ‚Marx'). Beide schufen in Brüssel ein kommunistisches Korrespondenzkomitee, veröffentlichten gemeinsam das berühmte ‚Manifest der Kommunistischen Partei' (1848) und gründeten in Köln die ‚Neue Rheinische Zeitung'. Nach dem Scheitern der Revolution folgte Engels dem Freunde nach London, übernahm 1850 in der Manchester-Firma eine leitende Position und unterstützte seitdem Marx regelmäßig durch beträchtliche finanzielle Zuwendungen. In der Folge übernahm er wiederholt journalistische Auftragsarbeit von Marx unter dessen Namen und widmete sich in vielen Schriften, Briefen und brillanten Abhandlungen mehr und mehr der Verbreitung und Popularisierung der gemeinsam erarbeiteten Lehre. Kommunistische Weltanschauung und dialektische Methode vermittelte Engels vor allem in ‚Herrn Eugen Dührings Umwälzung der Wissenschaft' (1878) – von ihm selbst als Enzyklopädie des wissenschaftlichen Marxismus verstanden. Nach Marxens Tod war er lange Jahre mit der Herausgabe des zweiten und dritten Bandes des ‚Kapital' beschäftigt, wofür zum Teil nur Skizzen des Freundes vorlagen. – Photographie nach einem Original im Karl-Marx-Haus, Trier. (Historisches Zentrum Wuppertal) *Jürgen W. Schaefer*

Ludwig Feuerbach
1804–1872

Das Leben Ludwig Feuerbachs (28. Juli 1804–13. September 1872) ist in mancher Hinsicht exemplarisch für ein Gelehrtenschicksal im geistigen und politischen Spannungsfeld des Vor- und Nachmärz: Hegelschüler zunächst, doch bald leidenschaftlicher Hegelkritiker, der die inneridealistische Philosophiekritik mit seinem „anthropologischen Materialismus" (E. Bloch) produktiv überwand; unpolitisch, wie große Teile des Bürgertums, auch wenn seine Kritik am Christentum (Gott als Objektivation der Bedürfnisse des Menschen) in einer Zeit des Religionseifers und der Restauration politische Wirkungen zeigte; und schließlich ‚freie' Intelligenz, die die (von Hegel geleugnete) Unvereinbarkeit von beamteter Existenz und „innerer Welt" am eigenen Leibe erfahren hat. Von seiner Herkunft (Sohn des Strafrechtlers Anselm v. Feuerbach) und seiner Ausbildung her (Theologie- und Philosophiestudium in Heidelberg und Berlin) schien der Weg in ein akademisches Amt vorgezeichnet. Seine Vorlesungen als Privatdozent in Erlangen (1828–32) fanden jedoch ein jähes Ende, als man ihn als Verfasser von ‚Gedanken über Tod und Unsterblichkeit' (1830) identifizierte. Diese Schrift begründete seinen Ruf als Atheist und ließ wiederholte Versuche, eine Professur zu erhalten, scheitern. In seiner wohl nicht nur infolge äußerer Umstände gewählten dörflichen Abgeschiedenheit von Bruckberg bei Ansbach – er hatte dort 1837 Bertha Löwe geheiratet – entstanden seine wichtigsten Werke: ‚Geschichte der neueren Philosophie' (1833–1838), ‚Zur Kritik der Hegelschen Philosophie' (1839), ‚Das Wesen des Christentums' (1841), ‚Das Wesen der Religion' (1845), ‚Theogonie' (1857). Feuerbachs anthropologischer Ansatz (der Mensch als Gegenstand, die sinnliche Anschauung als Voraussetzung der Philosophie) hatte einen nicht unerheblichen Einfluß auf zeitgenössische Literaten (z. B. G. Weerth) sowie Marx und Engels („Wir waren alle momentan Feuerbachianer"). Doch kritisierte man zurecht, daß sein Begriff vom Menschen von der gesellschaftlichen Realität abstrahiere. Mit der politischen Bewegung seiner Zeit kam er nur 1848/49 in Kontakt, als er, auf Bitten von Studenten, in Heidelberg Vorträge über das Wesen der Religion hielt. Nach dem Verlust seiner Einkünfte aus einer Porzellanfabrik zog er 1860 in den Osten Nürnbergs, wo er 1872 in bescheidenen Verhältnissen starb. – Kreidelithographie von Valentin Schertle nach dem Gemälde von Bernhard Fries. (Zentralbibliothek Zürich) *Ernst Weber*

Theodor Fontane
1819–1898

Die Ausweisung der Hugenotten ist ein trauriges Kapitel der neueren Geschichte. Aber dem Aufstieg Berlins und partiell der deutschen Literatur ist sie in mehrfacher Hinsicht zugute gekommen; denn ohne die französische Herkunft ist der deutsche Schriftsteller Theodor Fontane nicht recht zu denken. Geboren am 30. Dezember 1819 in Neu-Ruppin als Sohn eines Apothekers, hat er den väterlichen Beruf nur vorübergehend ausgeübt, um fortan schreibend tätig zu sein: als Auslandskorrespondent, Theaterkritiker und Berichterstatter der Kriege, die vor allem Bismarcks Kriege gewesen sind. Von ihm blieb Fontane in Kritik und Bewunderung bis an sein Lebensende fasziniert: Er starb am 20. September 1898. Der Lyrik gehörte die Liebe zunächst, danach der Ballade – bis der Durchbruch zu später Stunde erfolgt: als das Werk eines fast Sechzigjährigen ist der erste Roman, ‚Vor dem Sturm', 1878 erschienen. Das Historische steht am Anfang, aber die Hinwendung zum Zeitroman läßt nicht lange auf sich warten. Der Gründerzeit hat sich seine Kommerzienrätin Treibel fast bedingungslos verschrieben. Aber sie ist als kritisch gesehene Figur im Ensemble der Frauengestalten eher die Ausnahme als die Regel. Die meisten dieser Gestalten sind dem Erzähler eng verbundene Personen. Vor allem ist es Effi Briest. Mit diesem Buch ist Fontane ein Meisterwerk geglückt, und ein sehr modernes obendrein. Das bezeugt die ihm eigene ‚Psychographie' – die Art, wie Angst und Schuld sich erzählerisch artikulieren; nicht weniger die Gesprächskunst, die in der Verwendung von Selbstgesprächen an moderne Autoren denken läßt. Daneben die Welt der kleinen Leute! Auch hier sind es vorwiegend Frauengestalten – Lene Nimptsch oder die Witwe Pittelkow –, die dem Leser imponieren. Mit diesem Romanwerk seines Alters nimmt Fontane die sozialen Fragen seiner Anfänge auf höherer Stufe wieder auf. Von den erwanderten Provinzen der Mark spannt sich der Bogen zur Weltläufigkeit des ‚Stechlin'. Die Aufgeschlossenheit für das Neue ist ohne Vergleich. Das hat ihm die Liebe der Jüngeren verschafft; auch die Kreidezeichnung Max Liebermanns von 1896 (Kunsthalle Bremen) bezeugt es. Die denkwürdige Kennzeichnung des Romanschriftstellers verdanken wir Heinrich Mann: „Was er sieht, ist bei allem, in jedem auch das andere, weshalb er abgelehnt wird, wo und wann fanatische Einseitigkeit die Macht antritt. Er war, in Skepsis und Festigkeit, der wahre Romancier, zu seinen Tagen der einzige seines Ranges."

Walter Müller-Seidel

Louise von François
1817–1893

Marie Louise von François wurde am 27. Juni 1817 in Herzberg (Sachsen) geboren und wuchs in Weißenfels auf. Sie stammte aus einer wohlhabenden Offiziersfamilie, erhielt aber nicht die Erziehung, die ihren Anlagen gemäß gewesen wäre. Durch autodidaktische Bemühungen versuchte sie, diesen Nachteil wettzumachen. Erste starke Eindrücke erhielt sie durch die Begegnung mit den Werken Adolph Müllners und Fanny Tarnows. Als ihre langjährige Verlobung auf Grund ihrer schlechten Vermögensverhältnisse von ihr aufgelöst wurde, zog sie sich ganz auf den, in ärmlichen Verhältnissen lebenden, Kreis ihrer Familie zurück. Bis 1855 hatte sie in Potsdam bei ihrem Onkel Karl Wilhelm von François gelebt, dann zog sie wieder nach Weißenfels, wo sie auch den Rest ihres Lebens zugebracht hat. Aus äußerer Not begann sie nun, zuerst für Zeitschriften, zu schreiben. Zwischen 1868 und 1886 erschienen eine ganze Reihe von Novellen, Romanen und Bühnenwerken von ihr. Die bekanntesten waren ‚Die letzte Reckenburgerin‘ (1871), ‚Geschichte der preußischen Befreiungskriege in den Jahren 1813–1815‘ (1873), ‚Frau Erdmuthens Zwillingssöhne‘ (1873), ‚Stufenjahre einer Glücklichen‘ (1877), ‚Der Katzenjunker‘ (1879, ‚Phosphorus Hollunder‘ (1881), ‚Judith, die Kluswirthin‘ (1883) und das Lustspiel ‚Der Posten der Frau‘ (1882). Louise von François ist literaturgeschichtlich zu den Erzählern des späten Realismus zu zählen. Mit ruhiger Übersicht und warmer Teilnahme griff sie vor allem historische Stoffe auf, um in ihnen soziale Probleme darzustellen. Dabei fußte sie jedoch stets auf einem christlich-moralischen Standpunkt, der weit von einem klassenbewußten Selbstverständnis entfernt war. Ihre Fähigkeit zur genauen Beobachtung und Gestaltung menschlicher Schicksale und Charaktere stellen sie nicht nur in die klassische Erzähltradition des 18. Jahrhunderts, sondern auch an die Seite Theodor Fontanes. Sie arbeitete an mehreren literarischen Zeitschriften mit und hatte vor allem mit Gustav Freytag, Conrad Ferdinand Meyer und Marie von Ebner-Eschenbach brieflichen und persönlichen Kontakt. Sie starb am 25. September 1893 in Weißenfels. Ihre gesammelten Werke liegen in einer fünfbändigen Ausgabe von 1918 vor. – Anonyme Kreidezeichnung, um 1850. (Museum Weißenfels) *Leibl Rosenberg*

Ferdinand Freiligrath
1810–1876

Ferdinand Freiligrath wird am 17. Juni 1810 in dem lippischen Residenzstädtchen Detmold als Sohn eines Lehrers geboren. Nach einer kaufmännischen Ausbildung verbringt er ab 1832 vier Jahre als Buchhalter in Amsterdam. Die „Wüsten- und Löwenpoesie" der ersten Schaffensphase (‚Gedichte', 1838) macht Freiligrath berühmt. Anfang der vierziger Jahre beginnt die Entwicklung zu zeitkritischer Thematik. Mittlerweile freier Schriftsteller, in Kontakt mit vielen bedeutenden Zeitgenossen, verlebt Freiligrath am romantischen Rhein in Wein- und Liebesseligkeit – er lernt in Unkel seine spätere Frau Ida Melos kennen – die unbeschwertesten Jahre seines Lebens. Friedrich Wilhelm IV. gewährt ihm ein Jahresgehalt von 300 Talern. Mit der 1844 veröffentlichten Zeitgedichte-Sammlung ‚Ein Glaubensbekenntnis' läßt man Freiligraths politische Dichtung beginnen. Im Vorwort geht er auf die 1841 entstandenen und dann so folgenreichen Zeilen ein: „Der Dichter steht auf einer höhern Warte, / Als auf den Zinnen der Partei" und beteuert, daß er nun doch auf die „Zinnen der Partei" hinabgestiegen sei und sich zur Opposition zähle. Vorausgegangen war die Aufsehen erregende Fehde mit Herwegh über die Frage der poetischen Parteinahme. Freiligrath verzichtet nun auch ostentativ auf das königliche Jahresgehalt. Die zunehmenden preußischen Pressionen zwingen ihn 1844, sich ins Ausland abzusetzen. Im Revolutionsjahr 1848 kehrt er nach Deutschland zurück und hat aktiven Anteil an der revolutionären Bewegung; so wird er Redakteur unter Karl Marx an der ‚Neuen Rheinischen Zeitung'. In Düsseldorf entsteht seine berühmte Revolutionshymne ‚Die Toten an die Lebenden'. 1849/51 erscheinen die ‚Neueren politischen und sozialen Gedichte'. 1851 muß der steckbrieflich Gesuchte nach England fliehen, diesmal für 17 Jahre. Freiligrath hat sich während dieser Zeit als Mittler zwischen deutscher und angloamerikanischer Literatur bedeutende Verdienste erworben. Ein paar Gedichte, die der 1868 Zurückgekehrte 1870/71 veröffentlicht, werden vom national-konservativen Lager als Zeichen seines Gesinnungswandels gefeiert. Dagegen differenziert Freiligrath den wieder bezogenen Höhern-Warte-Standpunkt: „Meinen Idealen, meinen Überzeugungen bleibe ich treu, aber mit Programmen und Manifesten bleibt mir vom Leibe." Am 18. März 1876 ist er gestorben. – Photographie von Sophus Williams, Berlin, nach dem Gemälde von Ernst Hader, 1882. (Zentralbibliothek Zürich) *Winfried Hartkopf*

Gustav Freytag
1816–1895

Der schlesische Honoratiorensohn Gustav Freytag (13. Juli 1816 bis 30. April 1895) wählte – nach Jahren als Privatdozent für deutsche Sprache und Literatur in Breslau – den Weg des freien Schriftstellers. Mit ‚Valentine' (1846) und ‚Graf Waldemar' (1847) gelangen ihm zwei Bühnenerfolge. Die Revolutionszeit erweckte ihn zu umfassendem Engagement. Mit Julian Schmidt erwarb er die Zeitschrift ‚Die Grenzboten', die das charakteristische politisch-literarische Organ der folgenden Dekade wurden: ein Kampfblatt der bürgerlichen Mitte, das mit Absolutismus und Aristokratismus ebenso scharf abrechnete wie mit demokratischem Radikalismus und Sozialismus, auch als die letzteren beiden Bewegungen von der Fürstenmacht bereits erstickt wurden. Im Namen des bürgerlichen Realismus übten die ‚Grenzboten' auch Kritik an der gesamten bisherigen Belletristik und verlangten eine nicht-kontroverse, allgemein ansprechende, sittlich „gesunde" Literatur, die den Deutschen mit seiner Lebenswelt versöhnen und ihn ertüchtigen sollte. In diesem Sinn war ‚Soll und Haben' (1855) als Musterroman gedacht. Daß hier die beabsichtigte Verklärung bürgerlicher Arbeit und der gesunde Humor gelungen seien, wurde schon damals bezweifelt. Übrigens verschweigt der Roman die 48er Revolution in Deutschland und verschleiert soziale Spannungen durch Aggression nach ‚außen': gegen Juden und Polen. Das Buch, das die nationalistische Wendung des deutschen Liberalismus vorwegnimmt, war 90 Jahre lang *der* deutsche Erfolgsroman. – Im Trauerspiel ‚Die Fabier' (1859) kündigt sich trotz des tragischen Endes die Aussöhnung von Bürgertum und Adel an, die für die Reichsgründungszeit kennzeichnend ist. Im Romanzyklus ‚Die Ahnen' (1872–1880) drückt sie sich darin aus, daß hier die Geschichte eines bürgerlichen ‚Hauses' bis auf einen vandalischen Königssohn zurückgeführt wird, während die 48er Revolution als Agentenspuk erscheint. Wie eine Obsession zieht sich durch Freytags elf Romane der Held zwischen zwei Frauen, von denen eine in Schönheit, Leidenschaft und gefährlicher Genialität glänzt, während die andere, bürgerlich-schlichte, den Helden erst auf den zweiten Blick von ihren größeren Vorzügen überzeugen kann. Mit solchen Gedankenleistungen und einem eingängigen Stil hat sich Freytag ein Vermögen und große Anerkennung erworben. – Radierung von Karl Stauffer-Bern, 1887. (Kupferstichkabinett und Sammlung der Zeichnungen, Berlin/DDR) *Werner Hahl*

Emanuel Geibel
1815–1884

,,Zur Zeit, da laute Zwietracht der Parteien / Die Luft durchhallte Deutschland auf und nieder, / Kamst Du mit einem Frühling süßer Lieder, / Vom Tageslärm die Seele zu befreien." So charakterisiert Paul Heyse in dem von Arno Holz zu Emanuel Geibels Tod am 6. April 1884 herausgegebenen ,Gedenkbuch' den populärsten Lyriker des 19. Jahrhunderts. In den bewegten Vormärzzeiten trat der am 17. Oktober 1815 in Lübeck geborene Pfarrersohn (nach einem Philologiestudium in Bonn und Berlin und beeindruckt von einer längeren Tätigkeit als Hauslehrer beim russischen Gesandten, Fürst Katakazi, in Athen) mit verklärend-harmlosen, gefühlsseligen und christlich gefärbten Natur- und Liebesliedern an die Öffentlichkeit. Diese ,Gedichte' von 1840, bei seinem Tode in 100. Auflage vorliegend, machten Geibel zum Idol der Backfische und Frauen. Ihr unpolitischer Charakter brachte ihm eine Pension vom König von Preußen ein. Vielfach dichterisch und übersetzend tätig, lebte Geibel abwechselnd in Escheberg beim Baron von der Malsburg, in St. Goar mit Freiligrath, in Stuttgart, Schlesien, Berlin und Lübeck, bis er 1852 einem Rufe des Königs von Bayern als Professor der Ästhetik nach München folgte. Der Liebling Maximilians II. war bald neben Heyse das Haupt des Münchener Kreises und der Dichtervereinigung ,Krokodil'. Seinem Einfluß ist es zu verdanken, daß Autoren wie Lingg, Schack, Hertz, Hopfen, Meyr, Grosse, Dahn trotz mancher Gegensätze gemeinsame Vorstellungen verwirklichten: formalen Kult, Vorliebe für hohen Stil, Bereicherung durch die Antike und Weltliteratur, vornehme weltabgewandte Stoffwahl. Als Summe solcher Bestrebungen gibt Geibel 1862 das ,Münchener Dichterbuch' heraus. Ludwig II. entfremdet und Kaiser und Reich unter Preußens Führung ersehnend, mußte er auf sein bayerisches Ehrengehalt verzichten. Geibel kehrte 1868 für immer nach Lübeck zurück. Seine patriotischen ,Heroldsrufe' verkörpern die Stimmung der Reichsgründung. So ist er nach 1918 schnell vergessen. Bisweilen stufte er sich selber als Epigonen ein: ,,Ich bin der letzte einer langen Reihe bedeutender Lyriker, der, wenn auch bei einer eigentümlich gefärbten Individualität, doch nur die Töne seiner Vorgänger in gediegenster und durchgebildetster Form zusammenfaßt." – Photographie von Franz Hanfstaengl. (Bayerische Staatsbibliothek München)

Günter Häntzschel

Georg Gottfried Gervinus
1805–1871

Die Biographie von Georg Gottfried Gervinus (geboren am 20. Mai 1805 in Darmstadt, gestorben am 18. März 1871 in Heidelberg) dokumentiert nicht allein ein bemerkenswertes Gelehrtenleben als Historiker und Literarhistoriker, ihre politische Dimension ist charakteristisch für den Verlauf der deutschen Geschichte im 19. Jahrhundert. Der Bürgersohn schwankt zwischen handfestem Kaufmannsberuf und schwärmerischen Dichterträumen, beginnt unentschlossen 1825 in Gießen Philologie- und Philosophiestudien, festigt sich in Heidelberg erst, seit 1826 Schüler des Historikers F. Ch. Schlosser, in einem an der Aufklärung orientierten Geschichtsverständnis. Die französische Julirevolution von 1830 rückt den soeben Habilitierten auf die Seite der bürgerlich-liberalen Freiheitsbewegung. Die Heirat mit Victorie Schelver 1836 macht ihn zudem finanziell unabhängig. Bleibendes wissenschaftliches Dokument seiner Überzeugungen ist das 1835–1842 publizierte historiographische Hauptwerk, die fünfbändige ‚Geschichte der poetischen National-Literatur der Deutschen' (ab 4. Aufl. 1853: ‚Geschichte der deutschen Dichtung' und die politischen Enttäuschungen signalisierend). Die schöne Literatur interessiert Gervinus in ihren historischen Zusammenhängen, nicht als vereinzeltes ästhetisches Phänomen. Zahlreiche, häufig rigorose Wertungen sind zwar überholt, doch ist diese Literaturgeschichte ein wissenschaftsgeschichtlicher Meilenstein. Gervinus, einer der ‚Göttinger Sieben', die den Verfassungsbruch Ernst Augusts 1837 nicht hinnehmen und Amtsenthebung (Gervinus war erst 1835 als Professor nach Göttingen berufen worden) und Landesverweis in Kauf nehmen, steht in der 48er-Revolution auf Seiten der Einheitsbewegung, publizistisch greift er mit Flugblättern und als Redakteur der ‚Deutschen Zeitung' ein; er ist Abgeordneter der Nationalversammlung. Resignation nach der gescheiterten Revolution läßt ihn auf demokratische und föderalistische Entwicklungen nach dem Muster der USA hoffen. Sein zweites großes Werk, die ‚Geschichte des 19. Jahrhunderts seit den Wiener Verträgen' (8 Bände, 1855–1866) entsteht. Die vorab veröffentlichte Einleitung (1853) führt zum Hochverratsprozeß (Freispruch in der 2. Instanz) und zum Verlust seiner akademischen Lehrerlaubnis. 1871 stirbt Gervinus im Zwiespalt mit dem Land, für dessen nationale Einigung er gekämpft hatte: Bismarcks Staat war nicht mehr der seine. – Lithographie nach einem Gemälde von C. W. F. Oesterley, 1841. (Universitätsbibliothek Heidelberg) *Gunter Reiß*

Jeremias Gotthelf
1797–1854

Jeremias Gotthelf, wie sich der am 4. Oktober 1797 geborene und am 22. Oktober 1854 gestorbene Albert Bitzius als Schriftsteller nannte, war reformierter Pfarrer im Kanton Bern – wie sein Vater, sein Sohn und beide Schwiegersöhne. Ein stolzes Standes- und Traditionsbewußtsein verband ihn mit der Reformation, die dem Berner Pfarrerstand auch sozialpolitische Aufgaben übertragen hatte: Schulaufsicht, Sittengericht, Armenwesen. Den liberalen Umsturz von 1831, der die Herrschaft des bernischen Patriziats beendete, begrüßte Gotthelf als Möglichkeit, die ‚Freiheit eines Christenmenschen' gesellschaftlich zu verwirklichen, reformatorische Sozialethik zur Geltung zu bringen. Gotthelf war mit großem Engagement ‚gebildeter Beamter', ein Typus, der allerdings im Zuge der Formalisierung und Zentralisierung der Staatsverwaltungen nach 1830 durch Bürokraten verdrängt wurde. Diese Enttäuschung, zusammen mit der radikalen Hetze gegen „Pfaffen und Aristokraten", berührte ihn unmittelbar. Dem in den vierziger Jahren herrschenden demokratischen Radikalismus stand er ablehnend gegenüber und nahm, als Schriftsteller von ungeheurer polemischer Kraft, den Widerspruch zwischen radikaler Theorie und Wirklichkeit aufs Korn. Dabei stellte er grundlegende Probleme der modernen Gesellschaftsentwicklung ins Licht. Nach den aufgeklärt volkspädagogischen Romanen ‚Der Bauernspiegel' (1836) und ‚Der Schulmeister' (1838/39) rekurriert ‚Uli der Knecht' (1841) auf die frühneuzeitliche protestantische ‚Ökonomik' oder Lehre vom ganzen Haus, weil er in der Emanzipation der Besitzlosen die Gefahr der Proletarisierung erkennt; er will sie wieder in ein persönliches und familiäres Verhältnis zum Mittelstand setzen. ‚Uli der Pächter' (1848) zeigt deutlicher die kapitalistischen Sachzwänge beim Auseinanderfallen des ganzen Hauses. ‚Geld und Geist' (1843/44) konfrontiert einen naturalwirtschaftlich und einen kapitalistisch geführten Bauernhof und zeigt den Verfall der Menschlichkeit im letzteren. Dabei verherrlicht Gotthelf, der den sündigen Menschen zu *allen* Zeiten voraussetzt, nicht das wirklich Gewesene, sondern faßt Vergangenheit als uneingelöste Möglichkeit auf. Die ‚Erlebnisse eines Schuldenbauers' (1854) weisen durch bittere Analyse des liberalen Rechtsstaats – freilich nicht durch die Rezepte des Autors – auf den sozialen Rechtsstaat des 20. Jahrhunderts voraus. – Bleistiftzeichnung von C. v. Gonzenbach, Entwurf zum Stahlstich der Springerschen Ausgabe, 1856. (Kunstmuseum St. Gallen) *Werner Hahl*

Christian Dietrich Grabbe

1801–1836

Als Sohn des dortigen Zuchthausaufsehers wurde Christian Dietrich Grabbe am 11. Dezember 1801 in Detmold geboren. Seit 1820 studierte er an der Universität Leipzig Rechtswissenschaft, 1822 wechselte er nach Berlin. Hier führte der zu alkoholischen Exzessen hinneigende junge Student ein zügelloses Leben. Nach vergeblichen Bemühungen, eine Beschäftigung an den Theatern in Berlin und Leipzig zu finden, folgte Grabbe im März 1823 einer Einladung Tiecks nach Dresden, der ihm die Unterstützung der Intendanz des Theaters verschaffte und sein Haus öffnete. Aber hier wie in anderen Städten waren seine Bemühungen um eine feste Anstellung am Theater vergeblich. So kehrte er im August nach Detmold zurück und wurde dort im Frühling 1824 Advokat. 1827 erschienen in zwei Bänden seine ‚Dramatischen Dichtungen. Nebst einer Abhandlung über die Shakspearo-Manie‘. Die Ausgabe enthielt ‚Herzog Theodor von Gothland‘, ‚Scherz, Satire, Ironie und tiefere Bedeutung‘, ‚Nannette‘ und ‘Maria, Marius und Sulla‘. 1829 erschienen ‘Don Juan und Faust‘ und ‚Kaiser Friedrich Barbarossa‘, 1830 ‚Kaiser Heinrich der Sechste‘, 1831 ‚Napoleon oder die hundert Tage‘. Am 6. März 1833 heiratete Grabbe Louise Christiane Clostermeier. Nach eineinhalb Ehejahren gab der Dichter seinen Beruf auf, verließ das Haus seiner Frau, fuhr erst nach Frankfurt und dann nach Düsseldorf, wo er dank der Unterstützung Immermanns bis Mai 1836 blieb. 1835 veröffentlichte Grabbe ‚Aschenbrödel‘, ‚Hannibal‘ und ‚Das Theater zu Düsseldorf‘. Wieder dem Trunk verfallen, entzweite sich der Dichter auch mit Immermann. Er kehrte nach Detmold zurück, vollendete seine ‚Hermannsschlacht‘ (1838) und starb dort am 12. September 1836, an Alkoholismus; in Wirklichkeit an seinem absoluten Pessimismus, an seinem heroischen Nihilismus, an seiner ‚Zerrissenheit‘. Er starb an der ‚Sirupszeit‘, wie er die epigonale und biedermeierliche Ära nach 1815 mit tiefer Verachtung und Haß nannte. Im Bruch mit der klassischen und romantischen Tradition schuf Grabbe eine neue poetische Sprache und jene offene epische Form, die allein die Einführung von breiten sozialen Massen auf der Bühne gestattete. Der „objektivste Geschichtsdichter unter den großen Dramatikern“ (Sengle) war kein Vollender und hinterließ keine vollkommenen Kunstwerke. Er ist aber wohl der genialste Experimentator in der Geschichte des deutschen Theaters. – Das schönste Porträt Grabbes zeichnete Wilhelm Pero 1836 in Kreide. (Wallraf-Richartz-Museum Köln) *Alberto Martino*

Herman Grimm
1828–1901

Herman Grimm (6. Januar 1828 – 16. Juni 1901), dessen Essays und Künstlerbiographien ihm einen festen Platz in der Geschichte dieser Genres gesichert haben, schlägt mit seinem Schaffen eine Brücke von der ihn prägenden klassisch-romantischen Tradition (er war Sohn Wilhelms und Neffe Jacob Grimms; verheiratet mit Gisela, einer Tochter Bettina und Achim von Arnims) zu neuidealistischen und kunstaristokratischen Tendenzen des Jahrhundertendes. Nach Jura- und Philologiestudium lebte er als Schriftsteller und Privatgelehrter in Berlin, wo er 1873 – obwohl Außenseiter der fachlichen Zunft – den neueingerichteten Lehrstuhl für Kunstgeschichte erhielt. „Nach äußerlicher menschlicher Klassifikation gehört er zu den deutschen Professoren ..., innerlich und eigentlich ist er ein Wesen aus einer klassischen Periode", schrieb 1903 die Bettina-Enkelin Elisabeth von Heyking. – Literarisch versuchte Grimm sich in mehreren Gattungen. Frühe epigonale Dramen und Verserzählungen blieben erfolglos. Die sich anschließenden ‚Novellen' (1856) wurden von Julian Schmidt gerühmt, haben aber an künstlerischer Wirkungskraft ebenso eingebüßt wie der (historisch aufschlußreiche) Adelsroman ‚Unüberwindliche Mächte' (1867), dessen Dialoge Zeitfragen von 1866 aus preußischer und amerikanischer, aristokratischer und bürgerlich-liberaler Perspektive diskutieren. Im Essay fand Grimm die ihm gemäße Form. Deren Bedeutung ging ihm an R. W. Emerson auf, dessen Auffassung der großen humanen Persönlichkeit und dessen Stil ihn tief beeinflußten. In zahlreichen gattungsprägenden Essaybüchern schreibt Grimm in erzieherischer Absicht über europäische Kunst (auch Zeitgenossen wie Cornelius und Böcklin), Literatur und Tagesfragen in einem Stil von kalkulierter Einfachheit und unverleugneter Subjektivität. Seine einst berühmten einfühlsamen Künstlerbiographien über Michelangelo, Raffael und Goethe – seit 1860 nacheinander erscheinend – haben das bürgerliche Bildungspublikum international erreicht. Diese Werke – bis in die Mitte unseres Jahrhunderts immer wieder aufgelegt – kamen mit ihrem Kult der großen Einzelnen, in denen sich für Grimm die bildende Phantasie der Nationen inkarniert, gründerzeitlichen Tendenzen entgegen, im von ihm empfundenen Kontrast zu der formanalytischen, stiltypologischen und entwicklungsgeschichtlichen Orientierung seines Lehrstuhlnachfolgers Heinrich Wölfflin, die Grimm als „demokratisch" bezeichnete. – Stich von A. Weger nach einer Photographie. (Brüder Grimm-Museum Kassel) *Helmut Kreuzer*

Julius Grosse
1828–1902

Der Dichter Otto Roquette urteilte über seinen hallenser Studienfreund Julius Grosse: „Es ist mir niemals eine leidenschaftlichere Begeisterungsfähigkeit vorgekommen als bei ihm; niemals eine gewaltiger ausgreifende Phantasie, niemals eine solche Leichtigkeit des Hervorbringens. Sein Talent machte uns erstaunen, die Schnelligkeit seines Produzierens war uns unbegreiflich." Tatsächlich erwies sich Grosse zunächst als vielseitig und begabt. Der am 25. April 1828 in Erfurt geborene Sohn eines Theologen wollte Architekt werden und hatte schon eine zweijährige Tätigkeit als Feldmesser hinter sich. Er entschließt sich dann jedoch zum Jurastudium und findet daneben ausgiebig Zeit zum Dichten, Malen, Zeichnen, zu geselligen Theater- und Musikaufführungen. Die künstlerischen Ambitionen überwiegen. Er gibt sein Studium auf, siedelt nach München über, besucht die Akademie, konzentriert sich aber bald auf literarische Arbeiten und übernimmt das Feuilleton der ‚Neuen Münchener Zeitung'. Mit Geibel und Heyse bekannt, wird er in den Literatenkreis ‚Krokodil' eingeführt. Seine Lebenserinnerungen ‚Ursachen und Wirkungen' (1896) sind eine ergiebige Quelle für den Münchener Dichterkreis. Eine Italienreise gibt dem allzu rasch jeden Stoff willkürlich Aufnehmenden weitere Anregungen. Grosse redigiert vorübergehend die ‚Illustrierte Zeitung' in Leipzig, ist dann Redakteur an der ‚Bayerischen Zeitung' und später Mitarbeiter an der ‚Augsburger Allgemeinen'. 1869 wird er – in der Nachfolge von Dingelstedt und Gutzkow – Generalsekretär der Schiller-Stiftung in Weimar und bleibt bis zu seinem Tode am 9. Mai 1902 in diesem Amt. Seine vielfältigen Versuche in Epen, Romanen, Novellen, Dramen, Kritiken, Satiren und Feuilletons sind mit Recht vergessen. Schon bei seinem Tode wurde deutlich, daß er sich verzettelt hatte, zu einer starken Persönlichkeit nicht geschaffen war, daß er mehr sein wollte als er war und seine vielversprechenden Anfänge nicht erfolgreich vollenden konnte. Nur seine Lyrik ist einheitlicher und geschlossener. Als Epigone wurde er schon 1904 in Maximilian Hardens Zeitschrift ‚Die Zukunft' eingestuft, ein typisches Schicksal vieler Autoren des 19. Jahrhunderts. – Der Stich nach einem Gemälde von Wilhelm von Kaulbach zeigt ihn, wie junge Mädchen sich ihre Lieblingspoeten vorstellten: ein edles griechisches Profil, idealer Blick, lange Mähne, sanfter Bart und Künstlertracht. (Ausgewählte Werke, hrsg. v. Adolf Bartels, Berlin 1909) *Günter Häntzschel*

Klaus Groth
1819–1899

Die Zeit Klaus Groths begann in der Spätromantik. Am 24. April 1819 wurde der Sohn eines Dithmarscher Müllers in Heide geboren. Nicht sehr fern davon, in Kiel, starb er am 1. Juni 1899 als Germanistikprofessor. Der Hochschullehrer (mit mäßigem wissenschaftlichem Ansehen) war zugleich einer der gefeierten Dichter seiner Epoche. Groths Hauptwerk ‚Quickborn' (1853, vermehrte Auflagen ab 1854) wurde begrüßt als einer der bedeutendsten Beiträge zur niederdeutschen Literatur. Groth selbst betonte gern: „Fritz Reuter trat erst ... später auf". Den ersten ‚Quickborn' dichtete Klaus Groth auf Fehmarn. Er suchte hier Erholung nach Studiumsanstrengungen und dem Versuch des Aufstiegs in das höhere Lehramt – nach Berufszeiten als Kirchspielschreiber und Heider Mädchenschullehrer bis 1847. Die ‚Quickborn'-Sammlung enthält gemütvolle Poesien, heitere und ernste, locker plaudernde und melancholische. Sie spiegeln Heimatliches, Umwelterleben, Volksfühlen. Diese Stimmungsgedichte, Lieder und Balladen sollten helfen, „die Ehre der plattdeutschen Mundart zu retten". Dazu regten Hebels ‚Alemannische Gedichte' (1803) und mundartliche Schöpfungen des Schotten Robert Burns an. ‚Quickborn' (= lebendiger Quell) ist zum Begriff gewachsen für die Bestrebungen, Achtung für den Rang des Niederdeutschen zu festigen. Andererseits lassen es die Werke Groths nun oft verwunderlich erscheinen, daß man „eine unbeschreibliche und unlernbare Kunst" empfand (Ernst Moritz Arndt). Gilt das schon für zahlreiche plattdeutsche Arbeiten, so noch mehr für viele Gedichte in Hochdeutsch (‚Hundert Blätter', 1854). Auch die Prosa begeistert selten. Die Erzählungen (‚Vertelln', 1855–1859) können vor allem enttäuschen, wenn der Leser viel Handlung, Spannung, plastische Menschenschilderung erwartet. – Immer hervorzuheben ist Groths Eintreten für die Schönheit des Plattdeutschen (Spracharbeiten mit Professor Karl Müllenhoff) und dessen Schriftsprache-Anrecht. Und es sollte nicht verkannt werden, daß Groth in guten Stunden die Kraft auch zu überzeugenden dichterischen Arbeiten fand (Beispiele: ‚Matten Has" oder das von Brahms vertonte ‚Prinzessin'-Lied aus ‚Voer de Goern'). – Den Stahlstich hat A. Weger 1856 nach einer Daguerreotypie gestochen. (Staatliche Graphische Sammlung München) *Herbert H. Wagner*

Anastasius Grün
Pseudonym für Anton Alexander Graf Auersperg
1806–1876

Im Kampf gegen den Absolutismus der Metternich-Ära standen adlige und bürgerliche Autoren oft Seite an Seite. Anton Alexander Graf von Auersperg, aus ältestem deutschem Adel stammend (geboren am 11. April 1806, gestorben am 12. September 1876) und in Krain (Slowenien, damals österreichisch) begütert, schrieb unter bürgerlichem Pseudonym, verehrte den bürgerlich-oppositionellen Gelehrten Ludwig Uhland und war wie dieser ein Freiheitsdichter und liberaler Parlamentarier. Noch vor der Revolution von 1830 schrieb er das Maximilians-Epos ‚Der letzte Ritter' (1830), worin er Volksfreiheit und Rittertum verherrlichte. 1831 erschien anonym in Hamburg seine Verssatire ‚Spaziergänge eines Wiener Poeten', ein damals unerhörter Angriff auf das metternichsche System. Auersperg forderte Vertrauen ins Volk, Meinungs- und Pressefreiheit. ‚Schutt' (1835), eine Folge von Romanzenepen, wiederholte die liberalen Ideen unter allgemeinerem, abendländischem Blickwinkel. In einer Unterredung 1838 forderte Metternich, daß Auersperg künftig schweige oder auswandere. In Ton und Stoff volkstümlich, dem Recht und der Freiheit gewidmet waren die Epen ‚Der Pfaff vom Kahlenberg' (1850) und ‚Robin Hood' (1864). – Als Mitglied des krainischen Ständelandtags übte Auersperg schon im Vormärz Kritik an der Wiener Regierung. Im März 1848 ging er mit Bauernfeld in die Wiener Hofburg und ließ sich für Österreich die Pressefreiheit und eine Konstitution zusichern. Im Frankfurter Nationalparlament blieb seinen großdeutschen Bestrebungen allerdings die Unterstützung durch seine slowenischen Wähler versagt. Mit der Berufung ins österreichische Herrenhaus 1861 und in den krainischen, später steirischen Landtag begann seine eigentliche Parlamentarierlaufbahn. Seine Ziele waren ein österreichisch geführtes Großdeutschland, Vorherrschaft der deutschen Kultur in Österreichs slawischen Landesteilen, dennoch freie Entfaltung der Nationalitäten. Dieses widersprüchliche Programm wurde durch den Sieg Preußens über Österreich 1866 unmöglich. Um wenigstens den deutschen Charakter Österreichs zu retten, nahm Auersperg zeitweise Zuflucht zum Zentralismus, den er einst bekämpft hatte. Im übrigen vertrat er stets liberale Ziele wie die Unabhängigkeit der Richter oder die Revision des Konkordats im Geiste des Josephinismus. – Lithographie von Joseph Kriehuber, 1840. (Graphische Sammlung Albertina Wien)

Werner Hahl

Karl Gutzkow
1811–1878

In ärmlichen Verhältnissen, als Sohn eines Bereiters, wurde Karl Gutzkow am 17. März 1811 in Berlin geboren. Konnten ihn die Erlebnisse seiner Jugendjahre nur mäßig fördern, so mußte die Universitätszeit in der preußischen Hauptstadt in dem fleißigen Muß-Theologen mit Lehrern wie Hegel, Schleiermacher, von der Hagen, Lachmann und Ranke den Sinn für das Abenteuer des Selbstdenkens wecken. Kaum zwanzigjährig, wurde er Mitarbeiter an den führenden Cotta-Blättern. Seine Behandlung sozialer, religiöser und erotischer Probleme in dem Roman ,Wally, die Zweiflerin' (1835) unter der leitenden Fragestellung, ob das Christentum eine veraltete Institution sei, war für den österreichischen Staatskanzler Fürst Metternich ein willkommener Anlaß, sein Repressionsinstrumentarium durch ein Verbot der ,Jungdeutschen' auch auf das Gebiet der Literatur auszudehnen. Hektisch sammelte Gutzkow in den nächsten Jahren seine scharfsinnigen Kritiken, veröffentlichte einen Erziehungsroman und wurde anonym Redakteur einer Zeitschrift. Gut zwanzig Dramen schrieb er in den vierziger Jahren, darunter die populären ,Zopf und Schwert', ,Das Urbild des Tartüffe', ,Uriel Acosta' und ,Der Königsleutnant'. Eine bemerkenswerte Leistung jener Jahre ist sein Reisebericht ,Briefe aus Paris' (1842), in dem er durch die Wiedergabe von Gesprächen mit führenden Politikern wie Guizot und Thiers, mit Nerval oder George Sand das Interview entdeckte. In dem Jahrzehnt nach der gescheiterten deutschen Revolution fand seine liberale Tendenz, die auf eine alle Sozialschichten umfassende Demokratie hinarbeitete, in den Zeitromanen ,Die Ritter vom Geiste' und ,Der Zauberer von Rom' einen wirksamen Ausdruck. Zu Beginn der sechziger Jahre wurde Gutzkow Generalsekretär der von ihm mitinitiierten Schiller-Stiftung, die bedürftige Schriftsteller unterstützte. Nach einem psychischen Zusammenbruch und Selbstmordversuch (1864/65) schrieb er drei Romane, unter denen die ,Neuen Serapionsbrüder', 1875–1877 in Heidelberg geschrieben, herausragen. Das Berliner Großstadtleben der Gründerzeit nimmt hier in den Arbeitern der Fabriken wie den Aktienbewegungen der Börse Gestalt an. Am 16. Dezember 1978 erstickte Gutzkow an einem Zimmerbrand, den er unter dem Einfluß des Schlafmittels Chloral ausgelöst hatte. – Die Photographie zeigt Gutzkow in seinen mittleren Jahren. (Gutzkow-Archiv Frankfurt)

Volkmar Hansen

Friedrich Wilhelm Hackländer
1816–1877

Friedrich Wilhelm Hackländer wurde am 1. November 1816 in Burtscheid bei Aachen als Sohn eines Schullehrers geboren. Früh verwaist, erhielt er keine angemessene Ausbildung und mußte bereits als Zwölfjähriger eine kaufmännische Lehre in einem Elberfelder Modewarengeschäft antreten. 1832 wird er Soldat in der preußischen Artillerie, kann aber die erhoffte Offizierslaufbahn wegen seiner mangelnden Vorbildung nicht einschlagen. Er kehrt zur kaufmännischen Tätigkeit zurück, bleibt erfolglos und wagt 1840, durch Ferdinand Freiligrath ermutigt, die Übersiedlung nach Stuttgart. Hier wird er bald durch die Veröffentlichung seiner ,Bilder aus dem Soldatenleben im Frieden' (1841) bekannt und bekommt Verbindung zu Kreisen des Württembergischen Hofes. 1842 veröffentlicht er einen Bericht über eine Orientreise, an der er im Auftrag des Kronprinzen teilgenommen hatte, 1843 wird er Hofrat und Sekretär des Thronfolgers, mit dem er durch halb Europa reist. Als er 1849 aus dem Hofdienst entlassen wird, heiratet er Karoline Opitz, eine Nachkommin des Dichters Martin Opitz, und nimmt eine unermüdliche schriftstellerische Tätigkeit auf. Es entstehen unter großem Beifall des bürgerlichen und adeligen Publikums ,Handel und Wandel' (1850), ,Namenlose Geschichten' (1851), ,Eugen Stillfried' (1852), ,Europäisches Sclavenleben' (1854), ,Der Augenblick des Glücks' (1857), ,Der neue Don Quixote' (1858), ,Das Geheimniß der Stadt' (1868), ,Der letzte Bombardier' (1870) und vieles mehr. Seine zahllosen Erzählungen erfreuten sich ebenso großer Beliebtheit wie seine Lustspiele. Mit nur geringem historischen, politischen oder sozialen Anspruch sollten seine Arbeiten lediglich zur Unterhaltung seiner vielen Leser dienen, die sich von ihm in ihrer behäbig-beharrenden Lebenssicht des Biedermeier und der langen Friedenszeit bis 1870 bestätigt fanden. Nur in solch einer Zeit konnte er zum Erfinder der Soldatenromanze werden. Als Kriegsberichterstatter leistete er der K.u.K. Monarchie derartige Dienste, daß er vom österreichischen Kaiser 1860 in den Ritterstand erhoben wurde. Seit 1865 lebte er als freier Schriftsteller außer in Stuttgart auch in Leoni am Starnberger See, wo er am 6. Juli 1877 starb. Sein Ruhm überlebte ihn nicht viel länger als die von ihm gegründete Zeitschrift ,Ueber Land und Meer'. – Das gestochene Porträt ziert Hackländers ,Werke', Bd. 1, 3. Aufl., Stuttgart 1875. *Leibl Rosenberg*

Robert Hamerling
Pseudonym für Rupert Johann Hammerling
1830–1889

Robert Hamerling wurde am 24. März 1830 in Kirchberg am Walde (Niederösterreich) als Sohn eines sehr armen Webers geboren. Das Kind zeigte früh seine dichterische und musikalische Begabung, konnte mit Hilfe adliger und kirchlicher Förderer das Gymnasium besuchen und studierte in Wien Medizin, Philosophie und Philologie. Als junger Gymnasiallehrer wurde Hamerling 1855 nach Triest versetzt, wegen Kränklichkeit aber schon 1866 in den Ruhestand entlassen, und zwar mit doppeltem Ruhegehalt wegen seiner poetischen Leistungen. Eine Verehrerin seiner Kunst schenkte ihm obendrein ein nennenswertes Kapital. Von 1866 bis zu seinem Tode am 13. Juli 1889 lebte er in Graz, wo er schon 1869 durch den Verkaufserfolg seiner Epen ein Haus erwerben konnte. Treu dem Gesetz seines sozialen Aufstiegs blieb Hamerling zeitlebens ein ästhetisierender Idealist. Auch war er in der Blütezeit des programmatischen Realismus, also in den fünfziger Jahren, zu jung, um von dem Ruf nach realistischer Erzählprosa berührt zu werden. Seine ersten lyrischen oder lyrisch-epischen Veröffentlichungen (u. a. ‚Venus im Exil', 1858; ‚Sinnen und Minnen', 1859) erinnern an den Göttinger Hain, Schiller und Platen. Napoleon III., für die Deutschösterreicher die alptraumhafte Symbolfigur einer feindlichen, materialistisch und egoistisch entarteten Welt, dürfte den Anstoß gegeben haben zu Hamerlings Blankversepos ‚Ahasverus in Rom' (1866): Es stellt das demagogische Genie und den Cäsarenwahn des Nero dar. Da Hamerling die Entgleisungen der Sinnlichkeit in einem sehr sinnlichen, neuheidnisch-koloristischen Stil darbot, war der Publikumserfolg außerordentlich. Das gilt auch für das Hexameterepos ‚Der König von Sion' (1869), in dem die Wiedertäufer von Münster das vermeintliche Gebot der Renaissance, Vereinigung von Tugend und Sinnlichkeit, durch Exzesse verfehlen. Hamerling wurde der Makart der Poesie. Sein Erfolg war um so größer, als schon ab 1866 in dem bis dahin ‚realistisch' gestimmten Deutschland die Reichs- und Gründermentalität um sich griff, die eine Hochkonjunktur für pompös historisierende Versepen zeitigte. Großen Erfolg hatte auch der platonisierende Künstler- und Liebesroman ‚Aspasia' (1876). – Photographie nach einem Gemälde von A. Prinzhofer. (Carl Werkmeister, Das 19. Jahrhundert in Bildnissen, Bd. IV, Nr. 414)

Werner Hahl

Friedrich Hebbel

1813–1863

Geboren als Maurersohn am 18. März 1813 im damals dänischen Wesselburen, gestorben als Träger des Schillerpreises am 13. Dezember 1863 in Wien, blieb Friedrich Hebbel trotz seines Aufstiegs aus sozialer Not zum zwar umstrittenen, aber doch berühmtesten Dramatiker seiner Zeit stets der entschiedene Vertreter eines weltanschaulichen ‚Pantragismus'. Der Terminus (von der Hebbel-Forschung geprägt) bezieht sich auf eine metaphysisch bedingte Spaltung zwischen Kräften der „Vereinzelung" und des „Ganzen" (in seinen Erscheinungsformen als Sitte, Staat, historische Notwendigkeit etc.). Diese Vorstellung vom „Riß" im Sein durchprägt, gattungsgemäß abgewandelt, Gedichte, Balladen und Erzählungen der Frühzeit, Tagebücher und Briefe sowie die Dramen, mit denen er ab 1840 Aufsehen erregte, ohne je die Bühne triumphal zu erobern. In der (von Nestroy parodierten) ‚Judith' (1841), in ‚Herodes und Mariamne' (1850), ‚Gyges und sein Ring' (1856) und den ‚Nibelungen' (1862) wird die tragische Problematik – im Kontext welthistorisch-religiöser Übergangsepochen – durch die Spaltung der Geschlechter begründet; die Rache der vom Mann verdinglichten Frau bewirkt die Katastrophe der Individuen, mit der die Dialektik des Geschichtsprozesses, die Heraufkunft einer neuen Epoche versöhnen soll. – Zwei Perioden gliedern Hebbels Leben und Schaffen: die erste – unstet, ungeborgen – (mit der Liebe zu Elise Lensing) führt nach Hamburg, Heidelberg, München, Kopenhagen, Paris und Italien; die zweite nach Wien, in die Geborgenheit der Ehe mit der Burgschauspielerin Christine Enghaus. Literarisch kulminiert die erste im bürgerlichen Trauerspiel ‚Maria Magdalene' (1844), das – wie andere soziale Dramen Hebbels – junghegelianisch-kritischen Tendenzen des Vormärz nahesteht. Die zweite wendet sich ab 1848 verstärkt der klassizistischen Tradition zu und nimmt mit ‚Agnes Bernauer' (1852) für restaurative Nachmärztendenzen Partei. Hebbels eigenwilliges, spannungsvoll-kompliziertes Werk läßt sich im ganzen so progressiv wie konservativ lesen; es erneuert noch einmal klassisch-idealistische Traditionen und weist zugleich auf Ibsen und neue Literatur- und Denktendenzen der Jahrhundertwende voraus. Es reizte und reizt Autoren und Regisseure zu produktiver Auseinandersetzung – bis hin zu kritisch-parodistischen Gegenentwürfen bei Brecht und Kroetz. – Zu Joseph Kriehubers Porträt von 1858 meinte Hebbel, es passe „besser auf die Börse als in den Tempel Apollos". (Graphische Sammlung Albertina Wien) *Helmut Kreuzer*

Heinrich Heine
1797–1856

Auf seinem Lebensweg hatte der am 13. Dezember in Düsseldorf geborene Heinrich Heine ungewöhnlich viele Schwierigkeiten durchzustehen. Dem Juden versperrten die damaligen Judengesetze nach einem Jurastudium den angemessenen Brotberuf. Wegen seines engagierten Einsatzes für die demokratischen Grundrechte geriet er danach in die Mühlen der restaurativen Zensurpolitik und mußte 1831 ein 25jähriges Exil in Paris und 1835 das Totalverbot seiner Schriften in Deutschland auf sich nehmen. Von 1848 bis zu seinem Tod am 17. Februar 1856 fesselte ihn eine Lateralsklerose ans Krankenbett. Dennoch schuf Heine ein Lebenswerk, das zwar noch immer umstritten ist, aber wegen seiner Modernität und eingängigen Schlagkraft sowohl für die ‚littérature engagée' als auch den Symbolismus wegweisend wurde. Zunächst orientierte er sich im ‚Buch der Lieder' (1827) an gesellschaftsgebundenen literarischen Konventionen, übertrug sie aber in eine modernere, bürgerliche Sprache. Als Prosaiker trat er bis 1831 mit vier Bänden ‚Reisebilder' hervor, in denen er Europa-Reisen mit eindrucksvoller Ironie verarbeitete. In der Pariser Zeit erfuhren dann Thematik und Diktion beträchtliche Wandlungen, sie wurden dissonanter und noch zeitbezogener. In den dreißiger Jahren entstanden vor allem kultur- und kunstkritische Essays, in denen Heine die geistige Struktur der Nachbarländer Deutschland und Frankreich von einer antiidealistischen Position her deutete. In ‚Ludwig Börne' (1840) grenzte er sich von dem ihm in mancher Hinsicht verwandten Partner ab und zog das Fazit seiner Erfahrungen als Exilschriftsteller und seiner gesellschaftsverändernden Erneuerungsvisionen. Danach trat die Versdichtung wieder stärker in den Vordergrund: die sensuellen und politischen ‚Neuen Gedichte' (1844), die dem Deutschlandthema kritisch gewidmeten Versepen ‚Deutschland. Ein Wintermärchen' und ‚Atta Troll' sowie die herbe Alterslyrik des ‚Romanzero' und der ‚Gedichte. 1853 und 1854'. In den letzten Lebensjahren wurde Heine aber auch als Prosaist noch einmal aktiv; er faßte seine zweite Berichtsserie über die Pariser Gesellschaft und Kultur zur ‚Lutezia' (1854) zusammen und schrieb zwei geistvolle Erinnerungsschriften (‚Geständnisse' und ‚Memoiren'). – Die nach 1825 entstandene Bleistiftzeichnung stammt von einem unbekannten Künstler und ist die wohl realistischste Wiedergabe des jungen Heine. (Heinrich Heine-Institut Düsseldorf)

Manfred Windfuhr

Wilhelm Hertz
1835–1902

Wilhelm Hertz war ein Schwabe, der mit dazu beitrug, daß schon unter Maximilian II. ‚München leuchtete'. Am 24. September 1835 in Stuttgart als Sohn eines Gärtners geboren, zog es ihn zum Geist nach Tübingen; Uhland lebte noch dort. Hertz schrieb 1858 seine Dissertation über englische Epen im Mittelalter und nebenher Verse, auch Dramenverse. Diese fanden in der von den ‚Nordlichtern' Geibel und Heyse illuminierten bayrischen Residenz Anerkennung: Trotz „Dichterloos" – „Der Sänger strömt in seine Lieder/Sein Herzensblut melodisch aus" – etablierte sich Hertz als Mittzwanziger im Kreis des Münchner Literatenvereins ‚Krokodil', engagiert als Germanist für mittelalterliche Literaturen, spätromantisch, national ohne Chauvinismus, epigonal im Selbstbewußtsein: nach denen von Weimar ist das Eigentliche eigentlich zu Ende. Er arbeitete als Schriftsteller, Dichter und übersetzender Germanist mit an der Ideologie des politisch entmündigten, aber fleißigen Bürgertums, vor Augen die große Vergangenheit heldischen Tuns und Erlebens, nachahmend, reproduktiv: u. a. ‚Lanzelot und Ginevra' (1859), ‚Das Rolandslied' (1862), ‚Tristan und Isolde' (1877), ‚Das Spielmannsbuch' (1886), ‚Parzifal' (1898). Die Einfühlung des Poeten mit Kopf wurde anerkannt, nicht nur in dem von der Vergangenheit inspirierten ‚Münchner Dichterkreis', der den aufkommenden Naturalismus verdammte. Hertz wurde Professor an der Technischen Universität München; Hermann Kurz' Tochter Isolde schrieb: „In einer beglückenden wissenschaftlichen und dichterischen und einer ungemein harmonischen Ehe lebend, erschien er als der Glückliche schlechtweg, bei dessen Anblick auch andere zufrieden wurden." Gefährdungen, Scheitern gar, war diesem Leben so fremd wie Originäres. Sein reizvollstes Werk ist ‚Bruder Rausch', die talentierte Umdichtung einer mittelalterlichen Satire, Zeitkritik, jedoch ins Unverfängliche entschärft. Hertz starb am 7. Januar 1902; 1924 schrieb eine anerkannte Literaturgeschichte, Hertz gehöre „zu den Meistern, deren sich langsam ausbreitende Anerkennung als ein Maßstab gelten mag für das Zurückfinden von ungesunden Ästheten zu prunkloser, aber tiefer und echter deutscher Art und Kunst." Wilhelm Hertz war ein Autor deutscher inspirierter Germanistik, apolitisch wie seine Profession. – Franz von Lenbach porträtierte Hertz 1887 in einer Ölskizze. (Schiller-Nationalmuseum Marbach a. N.) *Gerhard Hay*

Georg Herwegh
1817–1875

„. . . ein echter Fanatiker, ein St. Just, ein Robespierre . . . Immer von Bastilletagen in Deutschland träumend . . . Herwegh hat eine Zukunft, wenn Deutschland eine Revolution erlebt, sonst nicht". Dingelstedts Prophezeiung von 1842, als der junge Georg Herwegh (geboren am 31. Mai 1817 in Stuttgart) durch seine ‚Gedichte eines Lebendigen' (1841) im Zenit seines Ruhmes stand, sollte in Erfüllung gehen. Die Revolution scheiterte, und man vergaß oder verleumdete den „Bannerträger der politischen Richtung der Literatur" (G. Weerth). Seine Flucht in die Schweiz, als Folge seiner mißglückten Beteiligung an der badischen Revolution 1848, zerstörte nachhaltig in der öffentlichen Meinung das Bild eines dichtenden Revolutionärs, dessen Leben den revolutionären Anspruch seiner Lyrik und politischen Aufsätze einzulösen schien; denn der Konflikt mit der bürgerlichen Ordnung kennzeichnet seine Jugend: 1836 verwies man ihn vom berühmten Tübinger Stift; 1839, vom Militärdienst nur beurlaubt, desertierte er nach einer Auseinandersetzung mit einem Offizier in die Schweiz; 1842 erfolgte, wenige Wochen nach der Audienz beim preußischen König, die Ausweisung aus Preußen (Ursache war ein kritischer Brief Herweghs an Wilhelm IV.) und später das Verbot seiner Schriften (‚Gedichte eines Lebendigen', T.2 und ‚Einundzwanzig Briefe aus der Schweiz', 1843). Seine Gedichtsammlung von 1841 wurde zum Bestseller (sieben Auflagen in zwei Jahren). Eigentlich ohne festes politisches Konzept, gab die radikale, zur Aktion drängende Sprache der Freiheitslieder den Empfindungen unterschiedlicher politischer Richtungen Ausdruck. – Sein Leben nach 1848 war an äußeren Ereignissen arm. Das Vermögen seiner Frau ermöglichte ihm bis zum Ende der fünfziger Jahre eine gesicherte Existenz. Aus dem Schweizer Exil konnte er erst 1866 nach einer allgemeinen Amnestie zurückkehren. Er ließ sich in Baden-Baden nieder, wo er am 7. April 1875 verarmt und vereinsamt starb. – Anders als Freiligrath oder Dingelstedt hat Herwegh nach 1848 keine politischen Kompromisse geschlossen. Er, der zuvor für das liberale Bürgertum als der vermeintlich revolutionären Kraft geschrieben hatte, wurde in seinen späteren radikaldemokratischen Gedichten (gesammelt 1877) zum Wortführer und Schilderer der Lage der ‚Massen'. Für den Lasalleschen Arbeiterverein, dessen Mitglied er zeitweise war, schrieb er 1863 das ‚Bundeslied'. – Die undatierte Lithographie ist im Besitz der Staatlichen Graphischen Sammlung München.

Ernst Weber

Paul Heyse
1830–1914

Der Nobelpreis 1910 war die krönende Auszeichnung für den jahrzehntelang gefeierten, inzwischen 80jährigen Paul Heyse (geboren am 15. März 1830 in Berlin, gestorben am 2. April 1914 in München). Glücklich bereits hatte alles begonnen: erst siebzehnjährig ist er im literarischen Salontreiben Berlins beliebt und anerkannt, schon 1854 holt ihn Maximilian II. nach München und enthebt ihn aller materiellen Sorge. Überschwenglichen Beifall erfahren die ersten Novellen, die Heyses Hauptmotiv, die Liebe, heiter und unprüde variieren, bevorzugt in italienischem Milieu (‚L'Arrabbiata', ‚Das Mädchen von Treppi'). Deutlicher zeigen die Romane (v. a. ‚Kinder der Welt', 1873) als durchgängiges Zentralthema die Problematik der Antinomie von Persönlichkeit und starren Schranken seitens Gesellschaft und Klerus. „Samthandschuh, aber eine Faust darin" – so Fontane zur verhalten aufklärerischen Tendenz Heyses, die, in geistreichen Umspielungen eines Freiheitsideals Harmonie suchend, das Unpolitisch-Individuelle betont. Sein Stil ist realistisch geprägt, seine Gestalten (Ausnahmecharaktere) und Handlungen sind es nicht. Heyse ist zum Modedichter des zeitgenössischen Bildungsbürgertums prädestiniert, patriotische Töne im Drama (‚Kolberg', 1868) und eine graziös-belanglose Lyrik tun ein übriges. Wiederholt besorgte sich Gottfried Keller, um dessen beneidetes Talent bangend, daß „der arme Heyse ... unter lauter Eseln aufgewachsen ist und noch mit ihnen grast" (gemeint ist der ‚Münchner Dichterkreis'), statt „über die Schnur" zu hauen. Aber da zeigte sich diese auch äußerlich strahlende Erscheinung vom Erfolg verwöhnt, sein Haus ist ein gesellschaftlicher Mittelpunkt. Weil allzu früh saturiert wohl, stagniert der etwa 50jährige, selbst in seiner Domäne, der als „bescheidenste dichterische Form" empfundenen Novelle, während der dramatische Lorbeer gegen den epischen eher kümmerlich bleibt – trotz leidenschaftlichen Bemühens (rund 80 Bühnenwerke). Unentwegt und unerschüttert schreibt Heyse weiter, in Frontstellung gegen den Naturalismus (Roman ‚Merlin', 1892) – mit aggressivem Hohn erwidert; dabei zunehmend vorbei am literarischen Zeitgeist, wenngleich nicht am gewohnten Publikum – mit der Gelassenheit des großen Weimarer Vorbilds das Los des Olympiers hinnehmend. „Der Meisterepigone" (Herwarth Walden) fürwahr. – Zum 15. März 1910 stellte die Zeitschrift ‚Das Theater', Jahrg. 1, Heft 13 den 80jährigen Jubilar in dieser Photographie vor. *Rüdiger Bolz*

August Heinrich Hoffmann von Fallersleben
1798–1874

Mit August Heinrich Hoffmann von Fallersleben (2. April 1798 – 19. Januar 1874) verbindet sich eine der farbigsten Biographien des 19. Jahrhunderts. Zunächst für die Theologie bestimmt, fand er erst durch Jacob Grimm zur deutschen Literatur-, Sprach- und Kulturgeschichte. Obwohl zeitlebens ein Polyhistor (wie etwa die mit E. Richter herausgegebenen ‚Schlesischen Volkslieder' zeigen), widmete sich der Gelehrte schon früh bevorzugt der Sammlung und Edition von zum Teil verschollenen Denkmälern (Ludwigslied u. a.) sowie der Erforschung der niederländischen Literatur und Volksdichtung (‚Horae Belgicae' 1830–1862). 1823 erfolgte die erste Anstellung (als Kustos der Breslauer Universitätsbibliothek); aus ihr erwuchsen indes bald zahllose Querelen, da vermehrte Dienstgeschäfte sich weder mit den privaten Interessen des Forschers und Dichters noch – als Hoffmann 1830 zum Professor der Germanstik an der Universität ernannt worden war – mit seiner Lehrtätigkeit vertrugen. Zu einem Skandal kam es, als Hoffmann, der sich seit jeher in Versen auszusprechen pflegte, seine liberal-demokratischen Überzeugungen in den hochpolitisch gemeinten ‚Unpolitischen Liedern' (1840/41) mutig verkündete. Wegen dieser gegen die Mißstände des Metternichschen Systems gerichteten Zeitkritik suspendierte ihn die preußische Regierung, der auch das (nicht zuletzt im Deutschland-Lied artikulierte) Einigkeitsstreben gefährlich wurde, 1842 von seinem Professorenamt und verwies ihn des Landes. Von nun an führte Hoffmann ein ruheloses Wanderleben, unterstützt aber durch die Gastfreundschaft von Gesinnungsgenossen, die seinen im Bänkelsangstil vorgetragenen Gedichten Ovationen spendeten. Bei aller Streit- und Reiselust sehnte sich Hoffmann aber eigentlich immer nach innerer wie äußerer Ruhe, die ihm erst spät, nachdem er 1849 seine 18jährige Nichte Ida zum Berge geheiratet hatte, zuteil werden sollte. Freilich störten bald das Familienleben, dem wir neben Liebes- und Heimatlyrik vor allem manches seiner volkstümlich gewordenen Kinderlieder verdanken, trotz Rehabilitierung während der Märzrevolution neue politische Schikanen. Erst 1860, als ihn – nach einem Intermezzo in Weimar – der Herzog von Ratibor zu seinem Bibliothekar auf Schloß Corvey an der Weser gemacht hatte, erlangte Hoffmann die Beschaulichkeit, die es ihm erlaubte, sein umfangreiches wissenschaftliches und poetisches Œuvre zu vollenden. – Stahlstich von Chr. Hoffmeister. (Hoffmann-von-Fallersleben–Museum Wolfsburg) *Jürgen Dittmar*

Heinrich Hoffmann
1809–1894

Der in Heidelberg, Halle und Paris ausgebildete Chirurg und Psychiater Heinrich Hoffmann, geboren am 13. Juni 1809, verstorben am 20. September 1894 als ‚Geheimer Sanitätsrat' und Leiter der Frankfurter Anstalt für Irre und Epileptiker, hat sich als Schriftsteller mancher Pseudonyme bedient: Reimerich Kinderlieb, Zwiebel, Heulalius von Heulenberg, Polykarpus Gastfenger, Peter Struwwel und anderer mehr. Den letztgenannten Namen entlieh er seinem erfolgreichsten Buch: dem ‚Struwwelpeter' von 1844 – einem Werk, das mit Schillers ‚Lied von der Glocke' und Gustav Freytags ‚Soll und Haben' zu jenen literarischen Zeugnissen gehört, die Gefühl und Wertempfinden mehrerer Generationen in Deutschland nachhaltig geprägt haben. Der ‚Struwwelpeter' war Hoffmanns erstes Buch für Kinder, mehr für den eigenen Sohn als für die Öffentlichkeit verfaßt. Sein rasch steigender Ruhm ermutigte den Autor zu weiteren Werken ähnlicher Art; ‚König Nußknacker' (1851) ‚Im Himmel und auf der Erde' (1857), ‚Prinz Grünewald' (1871). Hier lehren naive Zeichnung und simples Kolorit im Verbund mit leicht eingängigen Reimversen eine Moral bürgerlicher Folgsamkeit und Sparsamkeit, geben löbliche Exempel von Fleiß und Genußverzicht und schrecken mit drastischen Bestrafungen von Bösewichtern das kindliche Gemüt, über die Stränge familiärer Wohlgesittung zu schlagen. In satirischen Schriften für Erwachsene rieb sich Hoffmann an poetischen Exzessen der Spätromantik, an philosophisch-spekulativen der Hegelschule – so in den ‚Mondzüglern' (1843) – oder am mondänen Badekult seiner Tage – so in ‚Bad Salzloch' (1860). Die medizinischen Zunftkollegen erfreute der Heilkundige 1867 durch die Herausgabe des ‚Liederbuchs für Naturforscher und Ärzte', ein breiteres Publikum mit dem ‚Frankfurter Hinkenden Boten' der Jahre 1851 und 1852. Auch in der Politik war Hoffmann tätig: die Revolution von 1848 sah ihn als Abgeordneten des Frankfurter Vorparlaments in der bürgerlich-liberalen Fraktion. Literarische Früchte seiner parlamentarischen Arbeit und seines politischen Interesses sind die beiden Satiren ‚Handbüchlein für Wühler' (1848) und ‚Heulerspiegel' (1849), mit denen er, ein Mann der ausgleichenden Mitte, die Radikalen der Linken ebenso scharf treffen wollte wie die rechten Reaktionäre nach der putschistischen Auflösung der ersten parlamentarischen Legislative in Deutschland. – Das Porträt des 74jährigen hat Valentin Schertle lithographiert. (Historisches Museum Frankfurt a. M.)

Hans-Wolf Jäger

Wilhelm Jensen
1837–1911

Wilhelm Jensen wurde am 15. Februar 1837 als Sohn eines friesischen Landvogts in Heiligenhafen/Holstein geboren und wuchs in Kiel und Lübeck auf. Ein Medizinstudium, das er 1856 aufgenommen hatte, brach er ab und promovierte 1860 in München zum Doktor der Philosophie. In Kiel bereitet er sich durch intensive private historische und literatur-historische Studien auf den Beruf eines Schriftstellers und Journalisten vor. Er lebt zwischen 1864 und 1869 in München und Stuttgart, wo er sich eng mit Wilhelm Raabe befreundet. In diesem Jahre zieht er nach Flensburg und übernimmt dort die Redaktion der ,Norddeutschen Zeitung'. 1876 zieht er mit seiner Frau Marie, geb. Brühl, nach Freiburg und 1888 dann endgültig nach München und bleibt hier – im Sommer in Prien am Chiemsee – bis an sein Lebensende am 24. November 1911. Vom Jahre 1866 an veröffentlicht Wilhelm Jensen in ununterbrochener Reihenfolge Romane, Novellen, Gedichte, Dramen und Biographien. Sie haben vor allem historische und kulturhistorische Themen zum Inhalt und handeln meist in der ihm wohlbekannten Landschaft an Nord- und Ostsee. Am bekanntesten unter seinen mehr als 160 Veröffentlichungen wurde die Lebensbeschreibung der ,Karin von Schweden' (1878). Davon abgesehen hat keine seiner Arbeiten aus eigener Kraft überlebt. Sie trugen bezeichnende Titel wie ,Deutsches Lied und Volk zu beiden Seiten des Oceans' (1867), ,Unter heißerer Sonne' (1869), ,Nach hundert Jahren' (1873), ,Flut und Ebbe' (1877), ,Vom heiligen römischen Reich deutscher Nation' (1882), ,Aus schwerer Vergangenheit' (1888), ,Hunnenblut' (1892), ,Jenseits des Wassers' (1892), ,Luv und Lee' (1897) oder ,Aus See und Sand' (1897). Lediglich seine Novelle ,Gradiva. Ein pompejanisches Phantasiestück' (1903) ist als Vorlage für Sigmund Freuds Untersuchung ,Der Wahn und die Träume in W.J.s ,Gradiva'' (1912) im Bewußtsein der Öffentlichkeit geblieben. Die Wirkung seiner Bücher beruhte auf ihrer empfindungsvollen und farbig bewegten Darstellung von Ereignissen der Vergangenheit, die er sensibel und gefällig zu erzählen verstand. Die Leser werden ihm auch seinen Beitrag zur Herausbildung eines nationalen Selbstverständnisses zu danken gewußt haben. – Das recht mäßige Porträt in Holzschnitt ist abgebildet im 1. Band des Romans ,Aus See und Sand'. *Leibl Rosenberg*

Wilhelm Jordan
1819–1904

Wilhelm Jordan, geboren am 8. Februar 1819 in Insterburg (Ostpreußen), gestorben am 25. Mai 1904 in Frankfurt a. M., studierte in Königsberg zunächst Theologie, promovierte aber (1842) zum Dr. phil. Durch Publikation und öffentlichen Vortrag politisch und religiös ‚wilder Lieder' kam er in Königsberg, Berlin, Leipzig mit der Zensur in Konflikt, er wurde zu Gefängnis verurteilt und 1845 aus Sachsen ausgewiesen. Er war Lehrer in Bremen, Korrespondent in Paris; 1848 kam er als preußischer Abgeordneter in die Paulskirche, wo er rhetorisch ungemein wirksam war, aber bald von der Linken zur Rechten umschwenkte. In seiner ‚Polenrede' vom 27. Juli 1848 wandte er sich aufgrund des „Rechts des Stärkeren" gegen eine Wiederherstellung Polens („Tendenzwende in der Nationalitätenpolitik des 19. Jahrhunderts", Th. Schieder). Er erhoffte ein Deutsches Reich als „Weltmacht" mit der „Südgrenze am Schwarzen Meer". Seit 1849 lebte er als pensionierter Ministerialrat in Frankfurt. – Jordans Veröffentlichungen: Gedichte, Dramen, Romane, Epen, Übersetzungen (z. B. Proudhon, Homer, Sophokles, die Edda) sind meist in erfolgreichem Selbstverlag erschienen. Heute führt die allein noch mögliche wirkungs- und ideologiegeschichtliche Betrachtung seines Werks zum Teil zu beklemmenden Ergebnissen. Zeigt die von dem Feuerbachianer 1845–1846 herausgegebene Zeitschrift ‚Die begriffene Welt' einen „Darwinisten vor Darwin" (Tille), so gipfelt das episch-dramatische „gnostische Mysterium" ‚Demiurgos' (1852–1854) – ein Versuch der von Jordan geforderten „Poesie der wissenschaftlichen Erkenntnis" – in der Hoffnung auf „Wiederkehr des Geistes" und Züchtung einer „neuen Herrschergattung". Mit dem oft aufgelegten Stabreimepos ‚Nibelunge' (1867–1874), einem Knäuel aus germanischen und antiken Sagenelementen mit Hohenzollerngenealogie, wirkte Jordan als „Rhapsode" in freiem Vortrag jahrzehntelang stark in allen deutschsprachigen Gebieten bis in die USA. Auch Abhandlungen (z. B. ‚Epische Briefe', 1876; ‚Die Erfüllung des Christentums', 1879) zeugen von seinem Sendungsbewußtsein: Homer sah er als seinen „einzigen abendländischen Vorgänger", sich selbst als „Vorläufer Bismarcks" und „durch heilige Führung in den Dichterberuf befohlen". – Photographie 1891 oder früher. (Schiller-Nationalmuseum Marbach a. N.)

Herbert G. Göpfert

Gottfried Keller
1819–1890

,,Stille Grundtrauer, ohne die es keine echte Freude gibt". Dieser Satz Gottfried Kellers aus einem Brief an W. Petersen (21. April 1881) betrifft Leben und Werk. Am 19. Juli 1819 in Zürich geboren, sollte Keller ,Kunstmaler' werden. Aber er ,,geriet hinter seinen Staffeleien unversehens auf ein eifriges Reimen und Dichten" (Autobiographie, 1889), und nachdem ein Lyrikband von 1846 Anerkennung und ein Staatsstipendium eingebracht, begann die Niederschrift eines ,,traurigen kleinen Romans über den tragischen Abbruch einer jungen Künstlerlaufbahn" (Autobiographie, 1876). Als ,Grüner Heinrich' wurde er in der ersten Ausgabe von 1854/55 und in zweiter, veränderter Fassung (1879/80) ein Klassiker der Weltliteratur. Mit dem ,,traurigen kleinen Roman" nahmen in den frühen Jahren des Lebens- und Dichterleides Ideen zu Novellen und Novellenzyklen Gestalt an, und ,,wie der Humor oft auf dem dunklen Grunde der größten Trauer seine lieblichsten Blüten treibt" (Keller an H. Hettner, am 29. Mai 1850), entstanden – in Jahresringen – Kunstwerke, die Keller als humoristischen Erzähler weltberühmt machten: ,Die Leute von Seldwyla' (1856 und 1873/74), ,Sieben Legenden' (1872), ,Züricher Novellen' (1876/77) und ,Das Sinngedicht' (1881). Freilich ist Kellers Humor ,,unberechenbarer Anlageplan seines melancholisch-cholerischen Wesens", und die ,,bauchigen Arabesken seines Vokabulars" führen in ein ,,Grotten- und Höhlensystem", in dem ,,irgend etwas von Grund auf verkehrt, rechts und links darinnen vertauscht ist" (W. Benjamin). ,,Verkehrt" und ,,vertauscht" sind alle Deutungen des Daseins, die die Sterblichkeit der Götter, der Menschen und der Musen leugnen und nicht wahrhaben wollen, ,,daß kein Künstler mehr eine Zukunft hat, der nicht ganz und ausschließlich sterblicher Mensch sein will" (Keller an W. Baumgartner, am 27. März 1851). Selbst Künstler ohne Zukunft blieb Keller, der am 15. Juli 1890 in Zürich starb, mit ,Martin Salander' (1886). Allerdings verweist der ,,Unglücksroman" (Keller an P. Heyse, am 19. Mai 1885) damit vielleicht um so nachdrücklicher auf den Tod, der ,,die Sanktion von allem ist, was der Erzähler berichten kann" (W. Benjamin). – Frank Buchser malte Gottfried Keller 1872, im Alter von 53 Jahren. (Zentralbibliothek Zürich) *Herbert Anton*

Gottfried Kinkel
1815–1882

„Gottfried Kinkel zählt zu den im Revolutionsjahre so zahlreich auftauchenden Kämpfern, die, ursprünglich weichere Naturen, nur in der Zeiten Noth umgeschmiedet und gehärtet wurden zu wuchtig dreinschlagenden Männern der That, die, entzündet durch des Vaterlandes Schmach, den stillen Lehrkatheder mit der lauten Volkstribüne, die Leier mit dem Schwerte vertauschen." Den Zeitgenossen, wie hier Ernst Ziel, waren beide Seiten Kinkels gegenwärtig; später lebt sein Name meist nur in Verbindung mit epigonaler Lyrik und Epik weiter. Sein historisch-konservatives Epos ‚Otto der Schütz' (1843) erscheint 1905 in 83. Auflage. – Der Sohn eines reformierten Pfarrers, am 11. August 1815 geboren, studiert in Bonn Theologie und ist seit 1837 Dozent, Religionslehrer und Prediger. Seine Liebe zu Kunst und Poesie gewinnt die Oberhand, als er Johanna Mockel kennen lernt. Doch auch der Kirchenbehörde ist die Heirat mit der geschiedenen Frau, einer Pianistin und liberalen Literatin aus dem Umkreis Bettina von Arnims, überdies katholischer Konfession, mit der Theologenkarriere unvereinbar. Kinkel war Professor für Kunst- und Kulturgeschichte. Gleichzeitig macht er sich mit der Gründung eines literarischen Vereins einen Namen, dem ‚Maikäferbund', dem Alexander Kaufmann, Karl Simrock, Wolfgang Müller von Königswinter, Nikolaus Becker u. a. angehören, dem Freiligrath, Schücking und Geibel nahestehen. Von der Bewegung um 1848 begeistert, geht Kinkel bald vom gemäßigten konstitutionellen Lager zu den Demokraten über und verfolgt in öffentlichen Reden und Taten das Ziel der Volkssouveränität. Er gründet in Bonn den ‚demokratischen Verein', agiert als Präsident im Handwerker-Bildungsverein, übernimmt, unterstützt von Carl Schurz, die Redaktion der demokratischen ‚Bonner Zeitung' und ist 1849 Abgeordneter der Linken in der Berliner Kammer. Als Teilnehmer im badischen Aufstand wird er zu lebenslänglicher Zuchthausstrafe verurteilt. Mit Johannas Hilfe kann ihn Schurz befreien und nach London bringen. Dort verbringt er entbehrungsreiche Jahre als Lehrer und Vortragender, bis er 1866 zum Professor für Kunst- und Literaturgeschichte nach Zürich gerufen wird, wo er am 13. November 1882 stirbt. Seine maßvolle, biedermeierliche Dichtung hält einem Vergleich mit Herwegh, Hoffmann von Fallersleben, Freiligrath nicht stand; als Essayist und Kulturhistoriker verdient er Beachtung. – Stahlstich von Kühner. (Staatliche Graphische Sammlung München)

Günter Häntzschel

Hermann Kurz
1813–1873

Mörike hieß Hermann Kurz willkommen: „denn dir hat wahrlich die Muse / Heiter Lippen und Stirn und beide die glänzenden Augen / Mit unsprödem Kusse berührt"; diesen Kuß bezahlte Kurz mit Bitternis. Sproß der altschwäbischen Familie Kurtz in Reutlingen am 13. September 1813 geboren, war ihm, mit 16 Jahren mittellose Vollwaise, der Beruf des Pfarrers bestimmt, der über das Landexamen – verarbeitet in der Erzählung ‚Die beiden Tubus' – in eine der vier ‚Kloster'schulen und ins Tübinger Stift führte. 1827 war Kurz Zögling in Maulbronn, im Stift 1831, dort David Strauß sein Lehrer, hier Uhland, Pfizer, Rapp. Philologische, auch literarische Ambitionen überwogen theologische. Knapp zwei Jahre hielt er es dann als Vikar aus; 1836 versuchte er im Stuttgarter Dichterkreis ein Auskommen als Schriftsteller: Gedichte erschienen, Novellen, Übersetzungen, Nachdichtungen, ohne Erfolg. Kurz konzentrierte sich auf einen Roman, der kritisch die Zeit des absolutistischen Herzogs Karl Eugen behandelt, ein modernes Thema; er hatte die Spätromantik verlassen. Doch trotz des falschen werbewirksamen Titels ‚Schillers Heimathsjahre' (1843) ermöglichte ihm auch dieses Buch keine Existenz. Kurz zog als Redakteur nach Karlsruhe, Zentrum des Liberalismus. Politiker wurden neue Freunde, gesuchte Revolutionäre 1848. Mit Gefühl und Kopf war er als ‚Großdeutscher' ihnen nahe, nicht mit der Tat. 1848 – jetzt erst nannte er sich Kurz, um den Kaiserlichen Wappenbrief der Kurtz als Zopf abzuschneiden – kehrte er als demokratischer Redakteur des ‚Beobachters' nach Stuttgart zurück. Sieben Jahre füllte er diesen Brotberuf engagiert aus, verheiratet und mehrfacher Vater, u. a. von Isolde. Daneben entstand der Roman ‚Der Sonnenwirth' (1854), Schillers ‚Verbrecher aus verlorener Ehre'. Krank und resigniert zog er aufs Land. Alte Freunde verhalfen ihm 1863 zu der Stelle eines 2. Unterbibliothekars an der Universität Tübingen. Bis zu seinem Tode am 10. Oktober 1873 arbeitete er daneben als Literaturhistoriker – er entdeckte den Autor des ‚Simplizissimus', als Herausgeber, u. a. mit Heyse der ‚Novellenschätze', als Shakespeare-Übersetzer. Nicht nur das Provinzielle dieses Lebens, über Süddeutschland kam er nie hinaus, erklärt sein bitteres Leben. Seine Prosa zwischen Spätromantik und Realismus, genaue Seelenbeobachtungen des Volkes, konnte im reaktionären Deutschland vor und nach 1848 auch beim Bürgertum kein Publikum finden. – Zeitgenössische Photographie. (Album Osterwald Stuttgart) *Gerhard Hay*

Heinrich Laube
1806–1884

Freiheit und Nation – diese zunächst zusammengehörig kritischen Grundbegriffe liberalen Denkens im Biedermeier bestimmten den Lebensweg Heinrich Laubes. Am 18. September 1806 im schlesischen Städtchen Sprottau als Sohn eines Maurers aufgewachsen, besuchte er das Gymnasium in Glogau und Schweidnitz. In Halle und Breslau studierte er als Brotstudium evangelische Theologie. Wie andere burschenschaftliche Schriftsteller seiner Generation machte er in jungen Jahren Karriere als Journalist und wurde 1833/34 Redakteur der ‚Zeitung für die elegante Welt'. Sein lebhafter Stil gewann seinen ersten Büchern – darunter die Roman-Trilogie ‚Das junge Europa' (1833–1837), die von der Begeisterung für den Polenaufstand getragen war, und die oft als derb empfundenen ‚Reisenovellen' (1833–1837) – zahlreiche Leser. Nachdem man die „Jungdeutschen" – ein Begriff, den Laube erfand und Wienbarg zum Schlagwort machte – 1835/36 unter Sonderzensur gestellt hatte und Laube zu achtzehnmonatiger Haft auf Schloß Muskau verurteilt worden war, gab er 1838 die Werke des „Sensualisten" Heinse heraus und veröffentlichte eine ‚Geschichte der deutschen Literatur' (1840). Erfolgreich wandte er sich in den vierziger Jahren dem Drama zu, sein Schiller-Stück ‚Die Karlsschüler' (1846) sowie die Tragödie ‚Struensee' (1847 publiziert) waren über Jahrzehnte Repertoirestücke. 1848/49 gehörte er der linken Mitte der Frankfurter Nationalversammlung an, deren Geschichte er detailliert schilderte (‚Das erste deutsche Parlament', 1849). Nach 1850 entwickelte er als Direktor das Wiener Burgtheater zur führenden deutschsprachigen Bühne, intensivierte die Probenarbeit, setzte realistische Massenszenen durch und ersetzte die nach beiden Seiten hin offene Zimmerkulisse durch die geschlossene Zimmerbühne. Gleichzeitig veröffentlichte er u. a. das Trauerspiel ‚Graf Essex' und dickleibige historische Romane. 1867 gestürzt, übernahm er das Leipziger Stadttheater (1869/70) und das von ihm gegründete Wiener Stadttheater (1871–1880). Seine Rückblicke auf diese Jahre ließ er zum Theaterbild seiner Zeit werden. Er veranstaltete eine Werkausgabe seines verstorbenen Freundes Heine, und in seinem Todesjahr 1884 (gestorben am 1. August in Wien) erschien seine Biographie Grillparzers. – 1848 lithographierte J. Kriehuber den Schriftsteller, der das Blatt mit einem Zitat aus seinen ‚Karlsschülern' über die Freiheit des Poeten unterzeichnete. (Graphische Sammlung Albertina Wien) *Volkmar Hansen*

Heinrich Leuthold
1827–1879

„Sehr schön, sehr talentvoll, aber sie erinnern mich doch an die Schönheit und Glätte der Porzellanmalerei. Stil ist das nicht.“ So sprach Gottfried Keller über Heinrich Leutholds lyrische Gedichte; und bis heute hat sich das Urteil über diesen von einigen Zeitgenossen überschätzten, bisweilen mit Lenau und sogar mit Hölderlin in Verbindung gebrachten Poeten wenig geändert. Mit Lenau und Hölderlin teilt er jedoch das Schicksal geistiger Umnachtung. Der am 9. August 1827 in Wetzikon bei Zürich geborene Sohn eines Landarbeiters erlebte eine entbehrungsreiche und freudlose Kindheit. Trotz seiner ungeistigen Umgebung gelangte er auf die Universitäten Zürich, Bern und Basel, konnte jedoch sein Jurastudium nicht abschließen und begab sich, in unglückliche Liebschaften verstrickt, für sieben Jahre auf Reisen nach Südfrankreich und Italien. Die abenteuerlichen Wanderjahre und die südliche Landschaft inspirierten ihn zum Übersetzen französischer Lyrik und zum Verfassen eigener, meist schwermütig-sensibler Gedichte. Von Jacob Burckhardt wird er in seiner literarischen Laufbahn bestärkt und 1857 an Emanuel Geibel nach München empfohlen. Als Mitglied des Münchener Kreises und in freundschaftlichem Verhältnis mit Geibel gibt er mit diesem gemeinsam den Band ‚Fünf Bücher französischer Lyrik vom Zeitalter der Revolution bis auf unsere Tage‘ heraus und erlebt, daß im gleichen Jahr 1862 mehrere seiner Gedichte im ‚Münchener Dichterbuch‘ veröffentlicht werden. Aus materieller Not ständig zu Rezensionen und Theaterkritiken gezwungen, bleibt seine eigene Dichtung schmal. Zeitweilig ist er hauptberuflich als Chefredakteur der ‚Süddeutschen Zeitung‘ tätig, einem Organ des 1859 gegründeten ‚Nationalvereins‘. Nach kurzem Aufenthalt in Frankfurt, der Schweiz und Stuttgart lebt er seit 1866 wieder in München, zurückgezogen und in ungeordneten Verhältnissen. Tuberkulose, Alkohol und eine syphilitische Infektion lassen seine Kräfte schwinden und führen 1877 zu einer progressiven Paralyse. Zwei Jahre später am 1. Juli 1879 stirbt er in einer Zürcher Heilanstalt. Die kurz vorher von Freunden herausgegebenen ‚Gedichte‘ hat er nicht mehr bewußt aufgenommen. In Abhängigkeit von Heine, Platen, Byron und Geibel klingt nur verhalten ein eigener Ton aus ihnen. – Eines der frühen Porträts von Franz von Lenbach zeigt Heinrich Leuthold (in Öl auf Holz), 1863. (Kunsthaus Zürich)

Günter Häntzschel

Hermann Lingg
1820–1905

Als Sohn eines Advokaten wurde Hermann Lingg am 22. Januar 1820 in Lindau geboren, studierte trotz seiner poetischen Neigungen zunächst Medizin in München und war danach als bayerischer Militärarzt tätig. Ein körperlicher und geistiger Zusammenbruch – Lingg war zeitweilig in der Heilanstalt Winnenthal bei Cannstatt – führte 1851 zu frühzeitiger Pensionierung. Von Pessimismus und Melancholie blieb er seitdem nie ganz frei. Nach familiären Krisen, ausgelöst durch eine nicht standesgemäße Heirat, zieht er 1853 nach München, wo er bis zu seinem Tode (18. Juni 1905) verbleibt. – Der entscheidende Schritt in die Öffentlichkeit gelingt ihm, als er durch Emanuel Geibels Vermittlung seine ‚Gedichte' 1854 bei Cotta veröffentlichen kann, die Geibel mit einer lobenden Vorrede einleitet. König Maximilian II. gewährt Lingg ein Jahresgehalt, er wird neben Heyse, Bodenstedt, Schack, Leuthold und anderen angesehenes Mitglied des ‚Münchener Dichterkreises'. Die sechziger Jahre sind seine erfolgreichste Zeit. In rascher Folge erreichen seine ‚Gedichte' 1871 die 7. Auflage, zwei weitere Sammlungen erscheinen 1868 und 1870, ‚Vaterländische Balladen und Gesänge' schließen sich an, Lingg versucht sich – wenn auch erfolglos – auf dramatischem Gebiet, er schreibt Novellen und veröffentlicht 1865–1868 sein Hauptwerk, das Epos ‚Die Völkerwanderung'. Auszeichnungen und Ehrungen empfängt er bis in sein Alter. Zeitweilig übertraf sein Ruhm beim breiten Publikum den Geibels. Linggs eigentliche Stärke war die historische Lyrik. Von Platen, Heine und Freiligrath angeregt, dringt er in seinen Gedichten in den Geist vergangener Epochen ein, vor allem der mythischen Vorzeit, der Antike und des Mittelalters. Man schätzte ‚Die Völkerwanderung' hoch, weil Parallelen zwischen dem germanisch-nationalen Gedanken des 5. Jahrhunderts mit der Idee der Reichsgründung von 1871 deutlich waren. Der Zeit entging jedoch nicht, daß viele seiner historischen Gedichte eher einem toten „Museum" glichen. Besonders seine massenhafte Stimmungslyrik kam selten über die Epigonalität hinaus, deren sich Lingg selbst bewußt war. Kein Wunder, daß der einstige Liebling des Pulikums und spätere Vielschreiber im neuen literarischen Klima um die Jahrhundertwende sich schon vor seinem Tode überlebt hatte. – Lebensstil, Werk und Ruhm prädestinierten ihn für Lenbachs Potentatengalerie; der malte ihn mehrfach. Das Hüftbild ist wiedergegeben in einer zeitgenössischen Hanfstaengl-Photographie. (Zentralinstitut für Kunstgeschichte München) *Günter Häntzschel*

Ludwig I., König von Bayern
1786–1868

Ludwig I. (geboren am 25. August 1786 in Straßburg, gestorben am 29. Februar 1868 in Nizza), der Bayern als König von 1825 bis 1848 regierte, galt schon als Kronprinz vielen als ein poetisch denkender und poetisch handelnder Fürst. Seit seinem spektakulären Geburtstagsbesuch bei Goethe (1827) wurde dieses poetische Menschsein von den Zeitgenossen – gegen des Königs eigene Amtsauffassung – in die Nähe eines deutschen Bürgerkönigtums gerückt. Goethe, Tieck, Brentano, Görres, Eichendorff, Heine, Platen und viele andere Künstler stimmten während der liberalen Reformperiode seiner Regierung (bis 1831) im Lob des freisinnigen, kunstliebenden und kunstausübenden Monarchen überein. Nur in der öffentlichen Meinung, nicht im Selbstverständnis des Königs, bedeutete dann das nach der Julirevolution erfolgte Einschwenken auf die Linie der Politik Metternichs einen Bruch mit seinen freiheitlichen Grundsätzen. Börne, jetzt auch Büchner und Heine gehörten zu den heftigsten Kritikern Ludwigs, dessen rhetorisch befrachtete Gedichte (Teile 1 und 2: 1829, Teil 3: 1839, Teil 4: 1847) zum Paradigma dilettantischer Gesinnungslyrik und absolutistischer Politik zugleich stilisiert wurden. Heines Spott entzündete sich weniger an den (in den Teilen 1–3 von Eduard von Schenk metrisch und stilistisch geglätteten) Versen Ludwigs als an der lateinische Syntax imitierenden Breviloquenz der Prosaschrift ‚Walhallas Genossen' (1842). Was dem König in eigenen Texten nicht gelungen ist, den biedermeierlichen Stilpluralismus in einem originalen Ton zu integrieren, das gelang ihm um so wirkungsvoller als Anreger und Mäzen im Bereich der Brauchtumspflege, der bildenden Kunst, der Architektur, der Gartenbaukunst und der Kunstsammlungen. Seine von Schiller hergeleitete Idee einer ästhetischen Erziehung führte u. a. zu jenem Architektursymbolismus (vor allem seiner Baumeister Klenze und Gärtner), der noch heute das Bild der von ihm begründeten Kunststadt München prägt. Der Lyrik blieb Ludwig I. insgeheim auch nach seinem durch den Lola Montez-Skandal erzwungenen Rücktritt (1848) treu, doch hat er nur noch wenige Gedichte der Öffentlichkeit zugänglich gemacht. Schon im 3. Teil seiner ‚Gedichte' findet sich das bemerkenswert selbstkritische Distichon: „Finster bliebe der Mond, empfing er nicht Licht von der Sonne, / Was du gedichtet, es auch, glänzte die Krone nicht d'rauf." – Ölskizze von Wilhelm von Kaulbach, 1843. (Bayerische Staatsgemäldesammlungen München)

Wolfgang Frühwald

Otto Ludwig
1813–1865

Die literarisch aufgeschlossenen Eltern des am 12. Februar 1813 in Eisfeld geborenen Otto Ludwig gehören zu den Honoratioren der thüringischen Kleinstadt; doch stirbt der Vater bereits 1825, die Mutter 1831. Als Autodidakt versucht Otto Ludwig sich zum Komponisten auszubilden; daneben verfolgt er literarische Interessen. Mit einem Stipendium geht er 1839 nach Leipzig, um bei Mendelssohn-Bartholdy zu studieren, kehrt jedoch bereits 1840 nach Eisfeld zurück und wendet sich dann ganz der Literatur zu. Die Zeit von 1840 bis 1849 ist bestimmt von anregenden Kontakten zum kulturellen Leben in Leipzig und Dresden, von freundschaftlichen Beziehungen zu J. Schmidt, G. Freytag, B. Auerbach, Verbindungen zum Dresdner Theater über Ed. Devrient, aber auch vom längeren Rückzug in die ländliche Abgeschiedenheit von Niedergarsebach bei Meißen. Ersten Erfolg bringt die humoristische Erzählung ‚Die Emanzipation der Dienstboten' (gedr. 1843). Im Zentrum stehen jedoch die Bemühungen um das Drama: Versuche zum Agnes-Bernauer-Stoff, das Lustspiel ‚Hanns Frei', das Trauerspiel ‚Die Pfarrose'. Mit einem Schlag bekannt wird Ludwig durch die Tragödie ‚Der Erbförster', die 1849 fertiggestellt und am 4. März 1850 in Dresden uraufgeführt wurde. Trotz Anlehnung an die Schicksalstragödie verweist die Entwicklung des tragischen Geschehens aus Milieu und Charakter auf Konstellationen des Dramas im Naturalismus. Bei der Uraufführung der historischen Tragödie ‚Die Makkabäer' (1852 im Burgtheater Wien) bleibt der erhoffte Erfolg aus. Otto Ludwig, der von einem Erbteil lebt, wendet sich nun zum „Broterwerb" mehr der Erzählprosa zu, ohne dabei die ehrgeizigen Dramenpläne aufzugeben. Nach den Erzählungen ‚Die Heiteretei' und ‚Aus dem Regen in die Traufe' (1853/54) erscheint 1856 ‚Zwischen Himmel und Erde'. Die dramatische Darstellung eines Familienkonflikts zeigt das Interesse des Autors an der Analyse psychischer und sozialer Determinanten; gleichzeitig fordert er jedoch selbstverantwortliche Sittlichkeit des Individuums. Die viel diskutierte Erzählung ist Ludwigs letzte abgeschlossene Arbeit. Seine posthum veröffentlichten ‚Shakespeare-Studien' und die ‚Romanstudien' sind wichtige poetologische und literaturkritische Dokumente für den ‚programmatischen Realismus' des Nachmärz. Nach 1860 verschlimmert sich ein Nervenleiden, das ihn von Kindheit an schwächte. Ludwig stirbt am 25. Februar 1865 in Eisfeld. – Stahlstich von A. Weger. (Staatliche Graphische Sammlung München) *Jörg Schönert*

E. Marlitt
Pseudonym für Eugenie John
1825–1887

Die am 25. Dezember 1825 in Arnstadt/Thüringen als Tochter eines Kaufmanns geborene Eugenie John erhielt durch die Unterstützung der Fürstin von Schwarzburg-Sondershausen Schul- und Musikunterricht in Sondershausen und eine Berufsausbildung als Sängerin in Wien. Diese künstlerische Laufbahn fand jedoch durch ein Gehörleiden ein rasches Ende: Eugenie John wurde Vorleserin und Reisebegleiterin der Fürstin. 1863 zog sie sich nach Arnstadt zurück und begann als E. Marlitt eine Schriftstellerkarriere, die ihren außergewöhnlichen Erfolg dem Umstand verdankt, daß die Marlitt in dem bürgerlich-liberalen Begründer der ‚Gartenlaube', Ernst Keil, den Verleger fand, der ihre Unterhaltungsromane in seinem Familienblatt in Fortsetzungen zuerst abdruckte. Vor allem die Romane ‚Goldelse'(1866), ‚Das Geheimnis der alten Mamsell' (1867), ‚Reichsgräfin Gisela' (1869), ‚Das Heideprinzeßchen' (1871), ‚Die zweite Frau' (1874), ‚Im Hause des Kommerzienrates' (1876), ‚Im Schillingshof' (1879), ‚Amtmanns Magd' (1881), ‚Die Frau mit den Karfunkelsteinen' (1885), die nach dem Abdruck in der ‚Gartenlaube' sogleich als Buch erschienen, in mehrere europäische Sprachen übersetzt wurden und bis heute zahlreiche Auflagen hatten, machten die Marlitt zur ersten deutschen Bestsellerautorin. Nachdem sie jahrelang an den Rollstuhl gefesselt gewesen war, starb sie am 22. Juni 1887. – Ihre Romane sind Familiengeschichten, die meist im großbürgerlichen und aristokratischen Milieu spielen, das von starren Standesvorurteilen, dem „Wahn der Geburtsbevorrechtigung", beherrscht wird. Vor dem Hintergrund einer von forcierter Selbstdarstellung und Intoleranz, von Rivalität und Unterdrückung, von Intrigen und verheimlichten kriminellen Akten geprägten Gesellschaft hebt sich eine Liebesgeschichte ab, die der von Vorurteilen besonders betroffenen Heldin einen Partner zuführt, mit dem sie die Ehe eingeht. Aschenbrödel-Schema, erzählerische Spannung und Milieu-Schilderung mögen Lesergeschmack und -bedürfnis befriedigt haben; darüber hinaus lassen die Romane politische Ambitionen im Sinne des bürgerlichen Liberalismus erkennen, wenn im happy-end eine bürgerliche Gemeinschaft „Freidenkender" und sozial Handelnder angesichts „sozialer Mißverhältnisse" als möglich dargestellt wird. – Die Photographie diente als Vorlage für einen Porträtstich, der 1868 in der ‚Gartenlaube' verbreitet wurde. (Museum der Stadt Arnstadt)

Ursula Segebrecht

Karl Marx
1818–1883

Wer kennt ihn nicht: Karl Heinrich Marx (geboren in Trier am 5. Mai 1818, gestorben in London am 14. März 1883), den Begründer des wissenschaftlichen Sozialismus, des dialektischen und historischen Materialismus, der Wissenschaft ,,von der Befreiung des Proletariats und aller Unterdrückten" und ,,von der Errichtung der kommunistischen Gesellschaft". Sein Name – zum ,ismus' geworden – gilt noch heute den einen als Bedrohung der bürgerlichen Welt, den anderen als sozialökonomische Heilslehre, die seit ihrer Niederschrift in zahlreichen Abhandlungen auf politische Verwirklichung drängte. – Sohn eines 1824 zum Protestantismus konvertierten Justizrates, studierte Marx in Bonn und Berlin Staatswissenschaften, Philosophie und Geschichte und schloß sich hier der junghegelianischen Bewegung an. 1842 trat er in die Redaktion der liberalen ,Rheinischen Zeitung' in Köln ein, mußte diese aber schon ein Jahr später ,,wegen Radikalismus" verlassen. Paris, Brüssel, nach Ausweisung im Revolutionsjahr 1848 Köln und seit 1849 London waren die weiteren Stationen seines privaten, mehr aber politischen Lebens – gekennzeichnet von akribischen wissenschaftlichen Abhandlungen, vielfältigen politischen Aktivitäten, permanenter Geldnot und, seit 1844, von der lebenslangen Freundschaft mit Friedrich Engels. Gemeinsam rechneten beide mit der junghegelianischen Vergangenheit ab und begannen in der polemischen Schrift ,Die heilige Familie' (1845) sowie der ,Deutschen Ideologie' (1845/46) ihre materialistische Geschichtsauffassung auszuarbeiten. In zum Teil nicht entwirrbarer Autorengemeinschaft widmeten beide sich der grundlegenden Erkenntnis, ,,daß das geistige Leben der Gesellschaft durch ihr materielles Leben, d. h. durch die Produktionsweise der materiellen Güter, daß die politische Entwicklung durch die ökonomische bestimmt wird". – Die MEW, die Marx-Engels-Werke, 1972 vom Institut für Marxismus-Leninismus beim ZK der SED herausgegeben, umfassen 40 Bände. Sie enthalten u. a. die Hauptwerke aus den Londoner Jahren: ,Der 18. Brumaire des Louis Bonaparte' (1852), ,Zur Kritik der politischen Ökonomie' (1859), ,Das Kapital' (Bd. 1 1867), ,Der Bürgerkrieg in Frankreich' (1871). Schon zuvor war 1847 die ,Misère de la Philosophie' erschienen und 1848 anonym die Gemeinschaftsarbeit: ,Manifest der Kommunistischen Partei' – noch heute Pflichtlektüre jedes Marxisten. – Die Photographie entstand 1867, also in der Zeit der Arbeit am 1. Band des ,Kapital'.
(Karl-Marx-Haus Trier) *Jürgen W. Schaefer*

Karl May
1842–1912

Karl May, am 25. Mai 1842 in ein tristes und armseliges Milieu hineingeboren, war das fünfte von 14 Kindern, neun starben in frühester Kindheit, er selber war für einige Jahre nach der Geburt erblindet, allein in der Märchenwelt der Großmutter lebend. Der 12jährige muß schon zum Familienunterhalt mitverdienen. In einer Gastwirtschaft als Kegeljunge. Hier war auch die örtliche Leihbibliothek untergebracht, mit den bekanntesten Kolportagereißern des 18. und 19. Jahrhunderts. Sie verschaffen ihm manch selbstvergessene Stunde. Nach der Schulzeit beginnt May 1856 ein Lehrerstudium, wird Hilfslehrer und muß 1862 seine Lehrerlaufbahn das erste Mal unterbrechen: wegen eines nie ganz aufgeklärten Uhrendiebstahls wird er zu 6 Wochen Gefängnis verurteilt. Es ist dies die erste einer Reihe kleinerer Straftaten, die nun fast zwangsläufig folgen, motiviert aus einer Art Vergeltungssucht für die erste als ungerecht empfundene Verurteilung, aus der pseudologischen Komponente seines Wesens und einer Verspätung der seelischen Gesamtentwicklung. Nach seiner Entlassung aus einer 4jährigen Zuchthausstrafe wird May 1874 Redakteur bei einem Dresdner Kolportageverleger, schreibt seine ersten Abenteuererzählungen. Er wird ständiger Mitarbeiter mehrerer Familienzeitschriften und des ‚Guten Kameraden' und nun verfaßt er seine berühmten Amerika- und Orientromane, die seit 1892 als ‚Gesammelte Reiseromane' erscheinen. Mays Aufstieg und Ruhm als Schriftsteller, die bis zur pseudologischen Identifikation mit seinen Romanfiguren ging, wird jäh durch eine Pressehetze unterbrochen, in deren Zusammenhang seine früheren Straftaten aufgedeckt und sein Werk als Schund verfolgt wird. Die daraus erwachsenen Prozesse und Anfeindungen zerrütten seine Gesundheit. Am 30. März 1912 stirbt er an einem Herzschlag, herausgerissen aus der Arbeit an seinem Alterswerk (der allegorisierenden Fortsetzung einiger Romane und der Selbstbiographie), mit der er seinen Kritikern seine eigentliche Bedeutung nachweisen wollte. Karl May ist einer der meistgelesenen Schriftsteller der deutschen Literatur, sein Werk in einer deutschen Gesamtauflage von über 50 Millionen verbreitet: Paradigma von Massenliteratur und ihrer Wirkung, kollektiver Tagtraum und „reißendes Märchen" (Ernst Bloch). Die Ausgabe seiner Gesammelten Werke im Bamberger Karl May Verlag verfälscht das Bild des Schriftstellers, da alle Texte einschneidend überarbeitet, gekürzt, entstellt wurden. – Photographie im Besitz von Gerhard Klußmeier, Hamburg.

Gert Ueding

Conrad Ferdinand Meyer

1825–1898

Sohn eines Zürcher Staatsbeamten, zeitweisen Regierungsmitglieds, und einer geistvollen, übersensiblen, von religiösen Schuldideen in den Selbstmord (1856) getriebenen Mutter, verbrachte Conrad Ferdinand Meyer (11. Oktober 1825–28. November 1898) seine Jugend in Zürich und in der französischen Schweiz. Aufenthalte in Paris (1857), Rom (1858) und Oberitalien (1871/72) vertieften die Beziehungen zur romanischen Kultur. Bis zu seiner Verheiratung (1875) lebte er fast immer mit seiner Schwester Betsy zusammen, seiner literarischen Beraterin und Sekretärin. Er wohnte in Zürich, 1868–1877 am rechten, 1877–1898 am linken Ufer des Zürichsees auf seinem Gut in Kilchberg. Die Heirat verschaffte ihm finanzielle Unabhängigkeit und die ersehnte Anerkennung der verachtet-respektierten Zürcher Gesellschaft. Durch eingehende Studien (Michelet, Thierry, Guizot, Taine, Sismondi, Fr. Th. Vischer, Mommsen, Burckhardt) machte er sich mit der europäischen Vergangenheit vertraut. Die Gegenwart verstand er als Übergangszeit, wie er sich auch in seinen Werken meistens solchen Übergängen zuwandte, ein Liberaler mit den Zweifeln eines Humanisten, der immer weniger an den Fortschritt zu glauben vermochte. Literarisch begann er als Übersetzer vom Französischen ins Deutsche und umgekehrt. Während sich seine Prosa schon in den erzählenden Briefen der fünfziger Jahre individuell ausprägte, fand er in den Gedichten erst in der Sammlung von 1882 den ihm eigentümlichen und für die Entwicklung der deutschen Lyrik bedeutsamen Stil, der den deutschen Symbolismus einleitet. In der Ballade fällt die Abwendung von der erzählenden, die Annäherung an die lyrische Poesie auf. Das erste Buch mit seinem Namen (‚Balladen‘) erschien erst 1867. Seine persönliche Zurückhaltung, die Vorliebe für die Maske und sein weltanschauliches Schwanken wurden künstlerisch fruchtbar in seinem Erzählwerk: einem Roman (‚Jürg Jenatsch‘, 1874/76) und zehn Novellen (1873–1891), wovon bezeichnenderweise fünf Rahmenerzählungen sind. Mit dieser Technik wußte er das Raffinement verschiedener personaler Perspektiven noch zu steigern, die Perspektive zu brechen, so daß das gleiche Werk auf verschiedenen Niveaus gelesen werden und sich die Beurteilung bestimmter Figuren, der Sinn einzelner Stellen oder des Gesamttextes ironisch in sein Gegenteil verkehren kann. – Die Radierung von Karl Stauffer-Bern, Anfang 1887, ist die bedeutendste künstlerische Darstellung von C. F. Meyer. (Zentralbibliothek Zürich) *Hans Zeller*

Malwida von Meysenbug
1816–1903

Malwida von Meysenbug ist heute nur noch wenigen bekannt. Allenfalls ihre ‚Memoiren einer Idealistin' und ihr Platz in der Biographie Nietzsches haben sie überdauert. Dabei galt sie im 19. Jahrhundert vielen Mädchen und Frauen, die nach Selbständigkeit strebten, als Vorbild. 1869 erschien der 1. Teil ihrer Autobiographie anonym unter dem Titel ‚Memoires d'une Idéaliste (entre deux révolutions 1830–1848)', Ergänzungsbände und zahlreiche weitere Auflagen folgten. Diese vielgelesene Autobiographie ist ein typisches Dokument vom Lebensweg einer Frau, die in ihrem Denken, in ihren revolutionären Ansichten den Frauen ihrer Zeit und ihrer Gesellschaftschicht weit vorauseilt, ihr Handeln aber immer wieder von den Rücksichten auf Familie und Stand bestimmen läßt. – Die am 28. Oktober 1816 in Kassel geborene Tochter einer dem Hof nahestehenden adligen Hugenottenfamilie distanziert sich früh, wenn auch unter starken Skrupeln, von den Anschauungen ihrer Familie, ihrer Klasse und ihrer Kirche. Tief beeindruckt erlebt sie die Revolution von 1848 am Originalschauplatz Frankfurt und gehört fortan der demokratischen Bewegung an. Ihre Tätigkeit an Fröbels Frauenhochschule in Hamburg endet mit der Schließung der Schule auf Anweisung der Reaktion; bei einem Aufenthalt in Berlin wird sie wegen ihrer Kontakte zu Demokraten im Ausland des Landes verwiesen. Sie flieht für immer ins Exil, zunächst nach London, wo sie bald einem großen Kreis von politischen Emigranten (Theodor Herzen, Garibaldi, Mazzini, Kinkel) freundschaftlich angehört. Ihr Hauptinteresse gilt der Erziehung, „der Emanzipation der Frau von den engen Grenzen, die die Gesellschaft ihr gesteckt hat", zumal der Bildung der Frau. Ihr eigenes Tätigkeitsfeld aber ist von diesen gesellschaftlichen Grenzen eingeengt und muß sich auf Hauslehrerstellen, auf ihre Adoptivtochter Olga Herzen und auf ihre schriftstellerischen Versuche beschränken. Seit 1855 in Paris, intensiviert sie die Beziehung zu Richard Wagner, später auch zu Cosima Wagner, sie lernt Nietzsche kennen, dessen ‚Vorlesung über die Zukunft unserer Bildungsanstalten' sie ins Italienische übersetzt. Bis zu ihrem Tod am 26. April 1903 lebt sie in Italien und pflegt noch als alte Dame enge Freundschaften zu bedeutenden Politikern und Künstlern ihrer Zeit (Franz Liszt, Romain Rolland, Franz von Lenbach). Ihre schriftstellerischen Arbeiten, darunter ein Roman, Erzählungen, Essays, sind 1922 in 5 Bänden ediert worden. – Undatierte Photographie. (Ullstein Bilderdienst Berlin) *Hiltrud Häntzschel*

Eduard Mörike
1804–1875

In Ludwigsburg ist Eduard Mörike am 8. September 1804 geboren. Nach dem frühen Tod des Vaters durchlief er den für einen württembergischen Theologen üblichen Bildungsweg, wurde Seminarist, Tübinger Stiftler und 1826 Vikar. Zum tiefgreifenden Erlebnis wurde 1823 die Begegnung mit Maria Meyer, der Peregrina seiner Dichtung. Lange Jahre amtierte Mörike in unselbständiger Stellung in den verschiedensten schwäbischen Dörfern und versuchte vergeblich, diesem Pflichtenkreis zu entrinnen. 1834 endlich landet er als Pfarrer in der kleinen ländlichen Gemeinde Cleversulzbach im fränkischen Unterland. Doch schon nach einem knappen Jahrzehnt erzwingen Krankheit und psychische Labilität die vorzeitige Pensionierung. Mörike zieht nach Schwäbisch Hall, dann nach Bad Mergentheim, lernt dort Margarethe Speeth kennen, die er 1851 heiratet, nun in Stuttgart mit einem begrenzten Lehrauftrag an einer höheren Mädchenschule tätig. Die Ehe ist wenig glücklich, belastet den sensiblen und hypochondrischen Dichter, der Distanz sucht und Zurückgezogenheit. 1875, am 4. Juni, im Alter von fast 71 Jahren ist er in Stuttgart gestorben. – Mörike ist kaum über die schwäbischen Grenzen hinausgekommen. Eng war der Umkreis seines Lebens und von kärglicher Bescheidenheit. In einem Band läßt sich sein gesamtes Werk unterbringen. Und doch gehört er zu den ersten Dichtern deutscher Sprache, ist er einer der größten Lyriker deutscher Literatur. Schon in jungen Jahren schrieb er seine ersten Gedichte, die aber erst 1838 in einem Band gesammelt erschienen. Langsam nur wuchs dieser Bestand. Gleichsam mühelos meisterte Mörike die Vielfalt der Formen und Töne; eine Kunst, die auch in den Übersetzungen griechischer und römischer Lyrik ihren Ausdruck findet. Der als Novelle bezeichnete Künstlerroman ‚Maler Nolten', 1832 erschienen, hatte geringe Wirkung und blieb in der Neubearbeitung, die Mörike in seinen späteren Jahren beschäftigte, unvollendet. Von großer poetischer Vollkommenheit sind die Idyllen, dann die wenigen Erzählungen und Märchen, vor allem das ‚Stuttgarter Hutzelmännlein', und schließlich ‚Mozart auf der Reise nach Prag', eine der schönsten deutschen Novellen. Die vielen Vertonungen seiner Gedichte, im besonderen die Lieder von Hugo Wolf, trugen wesentlich dazu bei, seinen Namen in der Welt bekanntzumachen. – Die Bleistiftzeichnung von dem Freunde Johann Georg Schreiner zeigt Mörike als Tübinger Studenten im Jahre 1824. (Schiller-Nationalmuseum Marbach a. N.) *Bernhard Zeller*

Theodor Mommsen
1817–1903

1902, ein Jahr vor seinem Tode (1. November 1903), erhielt Theodor Mommsen als erster Deutscher den Nobelpreis für Literatur. Am 30. November 1817 in Schleswig geboren, wurde er von seinem Vater, einem humanistisch hochgebildeten Pfarrer, zu Hause erzogen. In Kiel studierte er Jura, hörte aber zugleich bei Waitz und Droysen historische Vorlesungen. „Die gründliche Erforschung jedes einzelnen Punktes wirft ein Licht auf das ganze Altertum und dieses wieder in seiner Totalität erleuchtet das einzelne“. Diese Maxime eines bewegten Forscherlebens drängte sich dem 27jährigen auf seiner ersten Italienreise auf. Später forderte er eindringlich: „Wer Geschichte, insbesondere Geschichte der Gegenwart schreibt, hat die Pflicht politischer Pädagogik, er soll denen, für die er schreibt, ihre künftige Stellung zum Staate weisen und bestimmen helfen“. Über 1500 Titel umfaßt Mommsens Schriftenverzeichnis. Keine Arbeit hat aber wohl einen ähnlich faszinierenden Erfolg gehabt wie sein mehrbändiges historiographisches Meisterwerk: die ‚Römische Geschichte‘ (1854–1885). Mit literarischer Souveränität geschrieben war es auf die Gegenwart in scharfsinniger Urteilskraft bezogen. Seine demokratische Haltung und sein politischer Einsatz von 1848/49 kosteten Mommsen 1850 einen Lehrauftrag in Leipzig. – Politischer Mensch, der er war (1848 Redakteur in Rendsburg, Emigrant auf einem Schweizer Lehrstuhl für römisches Recht, 1861 Mitbegründer der ‚Fortschrittspartei‘, als Nationalliberaler in den siebziger Jahren Mitglied des preußischen Landtages und von 1881 bis 1884 Reichstagsabgeordneter), entwickelte sich der „Schlachtenbummler“, wie Mommsen sich gern bezeichnete, zum scharfen Gegner des Bismarckschen „Ministerabsolutismus“ und Treitschkes Antisemitismus. Nicht selten litt er aber selbst unter Depressionen wegen der „politischen Unfähigkeit“ seines Volkes und der „germanischen Servilität“. 1854 auf den Lehrstuhl für römisches Recht in Breslau und endlich 1858 als Professor der Alten Geschichte nach Berlin berufen, widmete sich Mommsen in der Folge immer mehr seiner Lieblingsidee: der Epigraphik. Mit Hilfe einer Reihe hervorragender Wissenschaftler brachte er im Auftrag der Berliner Akademie das ‚Corpus Inscriptionum Latinarum‘ heraus – ein Lebenswerk, das er mit „letzter Kraft vollenden“ wollte. – Aus Anlaß des achtzigsten Geburtstages malte Franz von Lenbach 1897 den Professor mehrfach. Das Porträt von 1899 hängt in der Städtischen Galerie im Lenbachhaus München. *Jürgen W. Schaefer*

Theodor Mundt
1808–1861

Von geistreicher Widersprüchlichkeit ist der jungdeutsche Oppositionelle Theodor Mundt, der am 19. September 1808 als Sohn eines Rechnungsbeamten in Potsdam geboren wurde, in Berlin Schule und Universität besuchte und dann als erfolgreicher Kritiker Journalistik in Leipzig betrieb. 1834 veröffentlichte er u. a. ‚Moderne Lebenswirren', einen Roman von den „Zeitabenteuern" des kleinstädtischen Salzschreibers Seeliger, der in Briefen an „Esperance" von seinen Begegnungen mit dem großen Zodiacus – Allegorie eines Tierkreises der Wahrheit – berichtet. Mundts Darstellung einer Frau, die sich von Fürstenwillkür und katholischem Elternhaus zu einem protestantischen, freien Leben emanzipiert (‚Madonna, oder: Unterhaltungen mit einer Heiligen', 1835) rief endgültig die Sittenwächter der Restauration auf den Plan. Zwei Jahre später ließ der produktive Mundt ‚Die Kunst der deutschen Prosa' erscheinen, mit der Prosa durch die kluge Darstellung linguistischer Fragestellungen und historischer Entwicklungen gleichberechtigt neben den metrischen Formen etabliert werden sollte. 1842 habilitierte er in Berlin zum Privatdozenten, nachdem er versichert hatte, zukünftig keine frivolen oder blasphemischen, staatsgefährdenden Schriften zu veröffentlichen. In seiner herausragenden theoretischen Schrift der vierziger Jahre, einer aktuellen ‚Geschichte der Gesellschaft in ihren neueren Entwickelungen und Problemen' (1844), machte er, schon durch Lorenz von Stein beeinflußt, die „Verbindung der Wissenschaft mit dem Wohl des Volkes" zum Grundsatz jedes Forschens. Im Revolutionsjahr 1848 lobte man ihn als Professor nach Breslau fort; 1850 kehrte er nach Berlin zurück und übernahm neben einer Professur das Amt des Universitätsbibliothekars. Seine lebendigen Vorlesungen zur ‚Geschichte der Literatur der Gegenwart', d. h. der Literatur ab 1789, die er zuerst 1842 publiziert hatte, erfuhren 1853 eine wesentliche Erweiterung durch eine umfassende Berücksichtigung der Literaturen Europas. In den Wartestand versetzt, schrieb Mundt umfangreiche historische Romane und porträtierte mehrfach Napoleon III. und das Paris seiner Zeit. Er starb am 30. November 1861 in Berlin. – Holzstich nach einer Photographie aus seinem letzten Lebensjahr. (Bildarchiv Preußischer Kulturbesitz Berlin)

Volkmar Hansen

Ernst Elias Niebergall
1815–1843

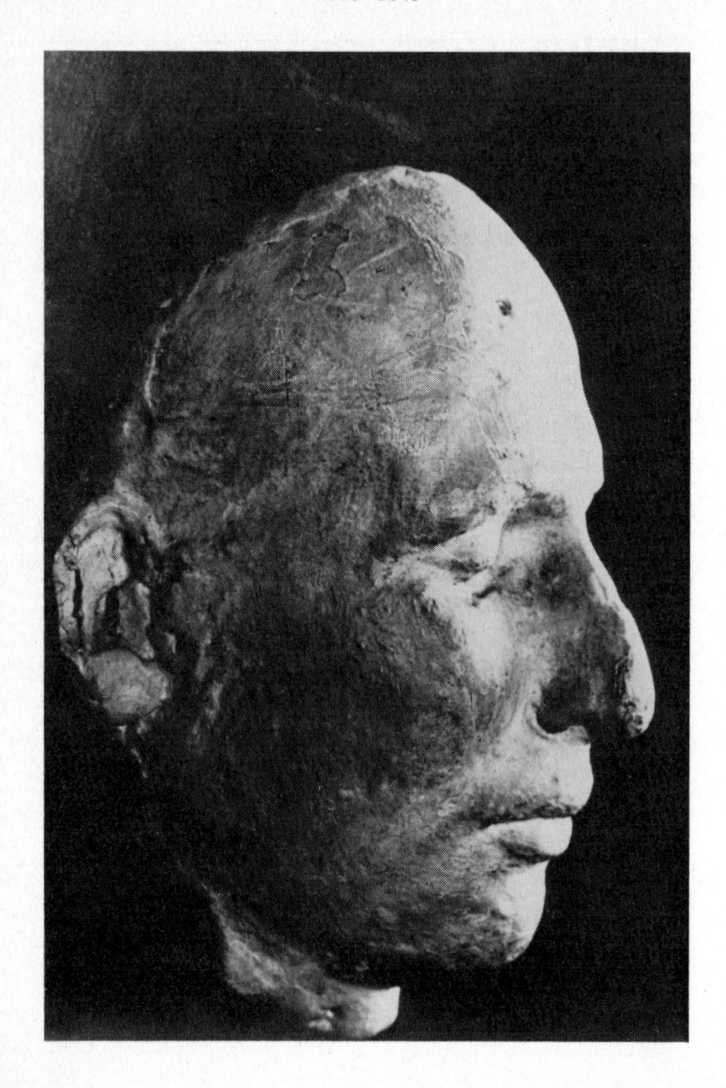

Am 13. Januar 1815, im Jahr des Wiener Kongresses, wurde Ernst Elias Niebergall in Darmstadt geboren. Trotz beengter Verhältnisse und des frühen Todes der Eltern erhielt er eine gute Ausbildung: Nach dem Besuch einer Privatschule und des Gymnasiums bezog er 1832 die Hessische Landesuniversität Gießen. Er studierte Theologie, nicht um Pfarrer zu werden, sondern weil dies damals ein schnelles und billiges Studium war. Zu seinen Freunden zählten Karl Vogt und Georg Büchner. Wie sie, wurde auch er aktiv als Burschenschaftler, wodurch er in eine Untersuchung wegen politischer Betätigung und Übertretung des Verbindungsverbots geriet. Das Verfahren endete nach zwei Jahren mit einem Freispruch. 1835 nahm Niebergall eine Hauslehrerstelle in Dieburg an, 1840 wurde er Lehrer für Latein, Griechisch und Geschichte an einem privaten ‚Knabeninstitut' in Darmstadt. Dort starb er 28jährig am 19. April 1843. – In seiner Hauslehrerzeit begann er Erzählungen zu schreiben, die in ‚Didaskalia', der Beilage zum ‚Frankfurter Journal', erschienen. Diese Brotarbeiten im Geschmack der Zeit sind längst vergessen. (Sie sind gesammelt in den ‚Erzählenden Werken', Darmstadt 1925). Niebergalls zunächst lokaler, nach der Jahrhundertwende auch überlokaler Nachruhm gründet sich allein auf seine beiden Lustspiele in Darmstädter Mundart. Das frühere ‚Des Burschen Heimkehr oder: Der tolle Hund', ein Stück um einen verbummelten Studenten, erschien 1837, wie alle übrigen Werke auch, unter Pseudonym (E. oder Elias Streff). 1841 folgte sein zweites, berühmteres Lustspiel, der ‚Datterich', benannt nach seiner Hauptfigur, einem Schnorrer und „Wirtshauslumpen", einem enfant terrible in der Welt der Kleinbürger und Handwerker. Die Fabel des Stückes ist eher belanglos, sein Rang und sein Reiz beruhen auf realistischer Milieuschilderung, Sprachkomik und genauer Charakterisierung der Personen. Seine sozial-kritischen Tendenzen fielen der Zensur zum Opfer, wodurch – nach der Aussage eines Zeitgenossen – das Stück um seine glänzendsten Partien gekommen ist. Die erste nachweisbare Aufführung fand 1862 in Darmstadt statt, erst nach 1900 folgten größere Bühnen. Von einer bedeutenden Wirkung Niebergalls kann man nicht sprechen. Dagegen steht allerdings das Wort von Ernst Bloch: „Oft lesen oder sprechen soll man den Mann, er hält vor." – Die Totenmaske befindet sich im Stadtarchiv Darmstadt.

Inka Mülder/Uwe Opolka

Friedrich Wilhelm Nietzsche
1844–1900

Friedrich Wilhelm Nietzsche, am 15. Oktober 1844 in Röcken bei Leipzig als Sohn und Enkel protestantischer Pfarrer geboren, wird über altphilologisch-theologische Studien zum scharfsinnigsten Widersacher christlicher Theologie, von der er sich, seit 1865 Schopenhauerianer, in Identifikation mit vorsokratisch-tragischem Denken abwendet. Sein Leben gerät zur Kette von Selbstkorrekturen am Ideal des ,,Freigeistes", eines ,,Menschen, der nichts mehr wünscht als täglich irgendeinen beruhigenden Glauben zu verlieren". Er erzwingt seine Produktivität gegen schwerste Krankheiten (Migräne, Augen- und Magenleiden, Syphilis): der 1869 ohne Dissertation zum Professor für klassische Philologie in Basel Ernannte legt Wert auf seine ,Selbstheilung'. Mit ,Die Geburt der Tragödie aus dem Geiste der Musik' (1872) stellt er sich auf Wagners Seite dem Kulturzerfall entgegen, aber in der 4. der ,Unzeitgemäßen Betrachtungen' (,Richard Wagner in Bayreuth', 1876) ist die Abgrenzung schon spürbar. Mit dem Aphorismenbuch ,Menschliches, Allzumenschliches' erscheint die für ihn typische spielerisch-pointierte Schreibform. Ab 1881 in Sils Maria, imaginiert er den Gedanken der ,,ewigen Wiederkehr". Die Aufwärtsentwicklung ab 1882 bringt Poetisches, wie die ,Idyllen aus Messina', ,Die fröhliche Wissenschaft', die Bekanntschaft mit Lou von Salomé, Rilkes späterer Freundin, aber auch den Bruch mit Mutter und Schwester Elisabeth, deren intrigante Einmischung in Nietzsches immer fragile Beziehungen zum Femininen den Philosophen in Selbstmordnähe trieb. ,Gedanken über die moralischen Vorurteile' der ,Morgenröte' werden im Gewand biblisch-bildhafter Sprüche weitergeführt bis 1885, wo ,Also sprach Zarathustra. Ein Buch für Alle und Keinen' erscheint. Die Abrechnung mit ,,Herden-" und ,,Priestermoral", die Überwindung des Nihilismus füllen ,Jenseits von Gut und Böse', ,Zur Genealogie der Moral'. Rücksichtslose Demontage der Tradition und massiver Selbstbezug kennzeichnen den ,Fall Wagner', ,Antichrist, Fluch auf das Christentum', ,Ecce homo'. Im Winter 1888/89 bricht die Paralyse aus, am 25. August 1900 stirbt Nietzsche in Weimar. Seine unvergleichliche, bis heute anhaltende Wirkung erzielt der radikale Desillusionär, ,,tot vor Unsterblichkeit", durch wirkungsvoll-widersprüchliche Sprache, vitalistische Ästhetik des Rausches, Mythenbildung vom ,,Übermenschen" und den märtyrerhaft scheinenden Ruin seines Lebens. – Kaltnadelradierung von Hans Olde (Schiller-Nationalmuseum Marbach a. N.). *Walter Gebhard*

Franz Graf von Pocci
1807–1856

Hier hast du Köpfe aller Art,
Mit Zöpfen und Perrücken oder Bart,
Männer und Frauen verschied'ner Zeit,
Für deine Sammlung sei'n sie eingereiht.
Dabei bitt ich um kleine [illegible] –
Wär's einer Eitelkeit auch gleich –
Daß dir der Kopf der liebste bleibt
Von dem, der diese Zeilen schreibt.

zu Weihnachten 1857.

F. Pocci

Als der alte Pocci, Generalleutnant und Obersthofmeister der bayerischen Königin, 1844 starb, hatte sich sein Sohn Franz Graf von Pocci (am 7. März 1807 in München geboren) als Graphiker und Poet bereits einen Namen gemacht. Nach Abschluß seines juristischen Studiums ernannte ihn Ludwig I. 1830 zum Zeremonienmeister und übermachte ihm das Gut Ammerland am Starnberger See. Früh ist Pocci Mitglied der musisch und antiquarisch rührigen ,Gesellschaft für deutsche Alterthumskunde zu den drei Schilden', übt sich im Wettstreit mit Eduard Steinle und Ludwig Schwanthaler als Zeichner und Lithograph. Seine Bilder zu Guido Görres' ,Festkalender' (1834), zum ,Münchener Bilderbogen' und den ,Fliegenden Blättern', zu Sammlungen von Grimm, Bechstein und Franz von Kobell regen Ludwig Richter zu seinen Hausbuchillustrationen an. Ein steter dienstlicher Aufstieg begleitet Poccis wachsenden Ruhm als volkstümlicher Meister von Feder und Stift: 1847 wird er Königlicher Hofmusikintendant, 1863 Oberzeremonienmeister, 1864 Oberstkämmerer, 1854 ehrt ihn die Münchener Universität mit dem philosophischen Ehrendoktor. Am 7. Mai 1876 ist er in seiner Heimatstadt gestorben. – In zahlreichen Büchlein kombiniert Pocci glücklich zeichnerisches mit poetischem Talent, genannt seien ,Was du willst' (1854) ,Handwerks- und Gesellenlieder' (1856), ,Landsknechtlieder' (1861) – Sammlungen überlieferten Volksguts in eigener Zurichtung und Weiterdichtung; die Totentänze und das ,Bauern-ABC' (1856), eine fromm-humoristische Hauspostille, die Kurzprosa und Merkverse in sinnierendem Tonfall und bayerischem Dialekteinschlag mischt. Auch in Volksstücken größeren Umfangs versucht sich der Dichter. Poccis wahre poetische Stunde schlägt, als ihn Josef Schmid, der Leiter des Münchener Marionettentheaters, 1858 um einige Stücke bittet. Jetzt entsteht, in Anlehnung an den tradierten Münchener Dult-Kasper, der ,Kasperl Larifari': eine wahrhaft volkstümliche, bayerisch schlag- und trinkfertige Gestalt, Seele der zahlreichen Budenspektakel, mit denen Pocci die Kinder ergötzt und den Erwachsenen zu lachen und zu denken gibt durch parodistische Hiebe gegen Klassikerkult, Operngepränge, Bildungsprotzerei und Amtshochmut. Überraschendes Aus-der-Rolle-Fallen und kecker Illusionsbruch stellen diese Stücke in die Erbfolge eines Tieck und Brentano. – Wie sehr sich Pocci selbst in der Rolle seines Kasperl gefällt, zeigt das „Selbstbildnis" mit Widmungsgedicht von 1857. (Bayerisches Staatsarchiv München) *Hans-Wolf Jäger*

Elise Polko

1823–1899

„Nun ist auch sie dahingegangen, deren Bücher in Tausenden von Familien heimisch waren, für die alle jungen Mädchen, namentlich der früheren Generation, schwärmten, und deren Leben durch Schaffen von Musik durchflutet war.“ So beginnt der Nachruf der ‚Sonntags-Zeitung für Deutschlands Frauen‘ 1899. Heute vergessen, war Elise Polko eine der vielen bekannten Schriftstellerinnen des 19. Jahrhunderts, für die sie repräsentativ in diesem Band steht. Am 13. Januar 1823 als Tochter des Leipziger Pädagogen und Schuldirektors Karl Vogel geboren, trat sie – von Felix Mendelssohn-Bartholdy gefördert – schon früh im Leipziger Gewandhaus, in Dresden, Halle und Berlin als Sängerin auf. Nach weiterer musikalischer Ausbildung in Paris heiratete sie 1849 den späteren Eisenbahnbetriebsdirektor Polko. Ihre Karriere war damit zu Ende. Trotz wechselnder Aufenthalte in Duisburg, Minden, Wetzlar, Deutz lebt sie jetzt abgeschieden von der ihr einst bekannten großen Welt. Wie viele andere künstlerisch-sensible Frauen findet sie Lebensersatz in schriftstellerischer Tätigkeit. 1852 debütiert sie mit ihren ‚Musikalischen Märchen, Phantasien und Skizzen‘ (25. Auflage 1904). Neben weiteren Erfolgen im Genre der anschaulich-feuilletonistisch geschriebenen Künstlerporträts, aus denen die ‚Erinnerungen an Felix Mendelssohn-Bartholdy‘ herausragen, Biographien (‚Eine deutsche Fürstin. Pauline zur Lippe‘; ‚Die Königin Luise‘), Kinder- und Jugendschriften, verfaßt sie eine Fülle von empfindsam-sentimentalen Romanen und Novellen. Mit etwa zwanzig Anthologien (am bekanntesten die ‚Dichtergrüße‘; sie erschienen 1922 posthum im 337. Tausend) war sie eine entscheidende Vermittlerin der vor allem für Frauen konzipierten Lyrik. Und in ihrem Brevier ‚Unsere Pilgerfahrt von der Kinderstube bis zum eignen Heerd‘ (10. Auflage 1900) gibt sie eine Bestimmung des weiblichen Lebens ihrer Zeit, „weit entfernt, der modeartig herrschenden Emancipationssucht ihrer gegenwärtig in der Literatur zahlreich vertretenen Genossinnen irgend einen Tribut zu zollen“; ob aus Überzeugung oder resignierend – das bleibe dahingestellt. Sie stirbt am Ende ihres Jahrhunderts, am 15. Mai 1899, und wird in zahlreichen Nachrufen geehrt. – Ihr Porträt (gemalt von J. Schex, gestochen von L. Sichling) ist dem 1. Band der ‚Musikalischen Märchen‘ beigegeben.

Günter Häntzschel

Robert Prutz
1816–1872

Robert Eduard Prutz (geboren am 30. Mai 1816 in Stettin und dort gestorben am 21. Juli 1872) war ein vielseitiger, politisch engagierter Schriftsteller, Historiker und Rhetor. Er gehörte kurze Zeit zum Kreis um Ruge, blieb jedoch stets gemäßigter Liberaler und Konstitutionalist. Sein Werk steht in der Tradition von Fortschrittsidealen der Aufklärung und der Geschichtsphilosophie Hegels und ist geprägt von Schillers Konzept einer moralischen Ästhetik. Nach der Revolution von 1848, an der er nicht aktiv teilnimmt, löst er sich vom Einfluß Hegels und entwickelt ein pragmatischeres Verhältnis zu Geschichte und Gegenwart. Das späte 19. Jahrhundert sieht ihn vorwiegend als vaterländischen Dichter. Nach 1900 gerät er zunehmend in Vergessenheit. In jüngster Zeit ist er aufgrund seiner unkonventionellen Themen (Journalismus, Reiseliteratur, Frauen, politische Lyrik, Literaturgeschichtsschreibung) und seines Engagements als liberaler Historiker wieder entdeckt und ediert worden. – Nach dem Studium der Philologie schreibt Prutz für die ‚Hallischen Jahrbücher'. 1841 publiziert er ‚Gedichte' und eine Monographie über den ‚Göttinger Dichterbund'. Nachdem 1842/43 zwei Versuche zur Habilitation scheitern, beginnt seine erfolgreiche Tätigkeit als Privatgelehrter und Autor: ‚Gedichte' (1843), ‚Geschichte des Journalismus' (1845), ‚Kleine Schriften. Zur Politik und Literatur', ‚Vorlesungen' über die ‚Geschichte des deutschen Theaters' und die ‚deutsche Literatur der Gegenwart' (1847). 1843–1848 ediert er das ‚Literarhistorische Taschenbuch'. 1845 führt die in Zürich erschienene Komödie ‚Die politische Wochenstube' zu einer Anklage wegen Majestätsbeleidigung. 1849 wird er Professor für deutsche Literaturgeschichte in Halle, gibt 1859 die Stelle enttäuscht auf und zieht sich nach Stettin zurück. Die zwei Bände ‚Zehn Jahre' (1850) behandeln die Geschichte des Vormärz und der Revolution aus seiner persönlichen Sicht. Im ‚Deutschen Museum' (von ihm herausgegeben 1851–1866) und in Aufsatzsammlungen entwickelt er weiterhin seine Interpretation der deutschen Kultur- und Geistesgeschichte, deren Tenor nun von nachrevolutionärer Stimmung geprägt ist. Er schreibt in dieser Zeit unpolitische Gedichte (‚Aus der Heimat', 1858; ‚Buch der Liebe', 1869) und soziale Romane im unterhaltenden Stil der Zeit (‚Das Engelchen', 1851; ‚Helene. Ein Frauenleben', 1856). – Der Stahlstich zeigt Prutz in der typischen Bildnispose des Gelehrten. (Bildarchiv der Österreichischen Nationalbibliothek Wien)

Bernd Hüppauf

Wilhelm Raabe
1831–1910

Arm ist die deutsche Literatur in der zweiten Hälfte des 19. Jahrhunderts an über ihre Zeit hinausgreifenden, weil in ihrer Zeit kritischen Schriftstellern. Wilhelm Raabe gehört dazu, widerspiegelnd in Produktion und Rezeption das Jahrhundert der gescheiterten demokratisch-liberalen Ansätze, Revolutionen, Erwartungen in einem zerstückelten Deutschland. 1813 und 1870/71 sind darum für den am 8. September 1831 im braunschweigischen Eschershausen geborenen Juristensohn die wichtigsten Daten. 1845 starb der Vater, die Mutter zog nach Wolfenbüttel. Der Junge aus der Provinz schaffte nicht das Abitur. 1854 systematisierte er, nach Buchhändlerlehrzeit in Magdeburg, sein autodidaktisches Wissen als Gasthörer der Berliner Universität. Aufklärung, die Entwicklung der Gesellschaft zu Vernunft und Humanität in Demokratie war und blieb Raabes Grundorientierung, auch im politisch meist wirkungslosen Engagement im ‚Deutschen Nationalverein', gegen Hoffnungen auf Einigung des Reiches von unten, gegen die eigene Resignation in den kapitalistischen Gründerjahren. Aktive Menschenliebe schreibt er dagegen seinen Helden, oft Außenseitern, zu. Der Erfolg der ‚Chronik der Sperlingsgasse' (1857) machte ihn zu einem begehrten Autor der Fortsetzungsblätter, ermöglichte ihm Reisen, die Heirat mit Bertha Leiste (1862), acht Jahre Aufenthalt im aufgeschlossenen Stuttgart, das er 1870 mit Braunschweig vertauschte; der „Preuße" hatte dort drei Romane geschrieben: ‚Der Hungerpastor' (1867), erfolgreich, ‚Abu Telfan' (1867) in Hoffnungslosigkeit auf demokratische Erneuerung, ein Mißerfolg beim Publikum, das auch seiner Erzählweise nicht gewachsen war, ebenso ‚Schüdderump' (1869/70). Doch paßte er sich der nationalen Begeisterung nicht an, auch wenn er in den letzten Jahrzehnten ums Brot schrieb: ‚Horacker' (1876), ‚Das Odfeld' (1888), ‚Stopfkuchen' (1891), ‚Die Akten des Vogelsangs' (1895), Erzählungen, in denen Wirklichkeitsdarstellung im ironischen Spiel mit Geschichte und Gegenwart gegen den von Schopenhauer genährten Pessimismus, die eigene Resignation angeht, ohne zeitgemäßen Optimismus, wenn auch so verstanden. In der politischen Spannung seiner Zeit schrieb er „müde" bis zu seinem Tode am 15. November 1910 in Braunschweig, ein „wenig Sonnenschein in einen grauen Lebensalltag leuchten zu lassen"; denn „Kunstwerke sollen der Menschheit weiterhelfen, sie nicht zurückdrücken". – Altersphoto von C. F. Beddies & Sohn in Braunschweig. (Schiller-Nationalmuseum Marbach a. N.) *Gerhard Hay*

Leopold von Ranke
1795–1885

„Jede Epoche ist unmittelbar zu Gott". Nur durch „Divination" und „geistige Apperception" können die Geschichtsschreiber Gott dienen. Nach Leopold von Rankes Auffassung war es jedem Historiker aufgegeben, „die besonderen Tendenzen" wie auch das „eigene Ideal" jeder Menschheitsepoche zu beschreiben; nur so ließ sich die in ihr waltende „göttliche Idee" darstellen. Seine Geschichtstheologie hat Ranke (21. Dezember 1795–23. Mai 1885, 1866 geadelt) zum wissenschaftlichen Historismus fortentwickelt und in einem beeindruckenden Gesamtwerk von 54 Bänden immer von neuem formuliert. – Entsprechend der pfarrherrlichen Familientradition studierte er Philologie und Theologie, bevor er 1825 als Professor der Geschichte nach Berlin kam und dort von 1834 bis 1871 als Ordinarius lehrte. 1841 wurde er noch zum Historiographen des preußischen Staates bestellt. Bleibender Respekt gebührt ihm als Begründer der ‚Rankeschen Schule', die der intensiven Quellenforschung, philologischer Quellenkritik und der Wiederherstellung zuverlässiger Texte verpflichtet war. Seine historischen Übungen wurden zur Wissenschaftsschule für eine lange Reihe bedeutender Historiker. „Gern beginnt und schließt er mit weittragenden allgemeinen Betrachtungen. Meisterhaft charakterisirt er die Persönlichkeiten mit lebensvoller Frische und Anschaulichkeit ... (Dabei) weiß er den Stoff künstlerisch zu gruppiren, die Thatsachen mit ihren Anfängen, Zusammenhängen und Folgen in scharfer Zeichnung vor Augen zu stellen". So wurde Rankes Erzählhaltung 1867 beschrieben. Kritisiert wurde in der Folge jedoch, daß er die Bedeutung der wirtschaftlichen und sozialen Kräfte in der Geschicht verkannte. Dies kam nicht von ungefähr: in den Quellen, die er benutzte, begegnete ihm stets die politische Welt, das „öffentliche Leben der Vergangenheit". Eine tief verwurzelte Revolutionsangst, bedingt durch die Erfahrungen der Julirevolution von 1830, sein politischer Konservativismus sowie eine durch die Romantik radikalisierte Auffassung von der historischen Individualität ergänzten seine methodischen Prämissen. Die ‚Römischen Päpste', die ‚Deutsche Geschichte im Zeitalter der Reformation', die ‚Französische Geschichte' sowie die ‚Englische Geschichte' waren schon allgemeines Bildungsgut, bevor er, fast erblindet, 1875 daran ging, die universalhistorischen Absichten früherer Jahre zu verwirklichen: eine neunbändige ‚Weltgeschichte'. – Photographie von Robert Wallich, Berlin 1885. (Archiv für Kunst und Geschichte Berlin) *Jürgen W. Schaefer*

Oskar von Redwitz
1823–1891

Oskar von Redwitz-Schmölz, geboren am 28. Juni 1823, aus fränkischem Adel stammend, Sohn eines Gefängnisdirektors und späteren Oberzollinspektors, hatte schon zu Lebzeiten den Ruf eines Prototypen der reaktionären Dichtung der fünfziger Jahre des 19. Jahrhunderts aufgrund seines vieldiskutierten Debüts, der christlich-romantischen Dichtung ‚Amaranth' (1849, 43. Auflage 1901). „Wie ein vom Himmel urplötzlich in seinen Geist gefallenes Saatkorn" (B. Lips) sei die Idee zu diesem Werk im Dichter entstanden, der es bewußt der „widerwärtigen Stimmung in der politisch-revolutionären Tagespoesie" entgegensetzen wollte – wie denn Dichtung für ihn vor allem „poetischen Reiz", einen „Hauch wirklicher Poesie und poetischen Humors" ausstrahlen und einen „künstlerisch strengen dogmatischen Aufbau" (Brief an Franz Dingelstedt) aufweisen wollte. Der große Erfolg veranlaßte Redwitz, seine Juristenlaufbahn aufzugeben und sich nach literarischen Studien in Bonn (bei Karl Simrock), sowie einem einsemestrigen Intermezzo als Professor für Ästhetik in Wien auf seine Güter zurückzuziehen und sich ganz der Dichtkunst zu widmen. Nach Erscheinen seines zweiten Werkes, ‚Das Märchen vom Waldbächelein und Tannenbaum' (1850) verlieh ihm die Universität Würzburg die Ehrendoktorwürde für seine Dichtungen, „in quibus generosum christianae religionis in jus ac dignitatem restituendae studim spirat". Für seine Sonette ‚Lied vom neuen Deutschen Reich' (1871) erhielt er persönliche Dankschreiben von Wilhelm I., Bismarck und Moltke; daneben wurde ihm der Verdienstorden der bayerischen Krone zuerkannt. Auf dramatischem Gebiet (Trauer- und Lustspiele) reüssierte der seit 1861 in München, seit 1872 in Meran lebende Dichter weniger. Auch seine Romane konnten bei weitem nicht den Erfolg des Erstlings wiederholen: er bestätigte „die alte Erfahrung von dem nur einmal gelingenden großen Wurf" (A. Hinrichsen). Nicht zuletzt dürfte seine politische Umkehr – Redwitz fungierte von 1858 bis 1866 als liberaler Abgeordneter im bayerischen Landtag – dazu beigetragen haben, daß die frühere Verehrergemeinde sich verkleinerte. Oskar von Redwitz, in Verkehr mit bedeutenden Zeitgenossen wie Dingelstedt, Bodenstedt, Lindau, Hamerling, Dahn, Laube, Wildenbruch, Lenbach – der 1889 das Porträt des 68jährigen malte – erlag am 6. Juli 1891 in der Nervenheilanstalt Gilgenberg/Bayreuth einem Asthma- und Nervenleiden. (Städtische Galerie im Lenbachhaus München)

Eva-Maria Brockhoff

Fritz Reuter
1810–1874

Reuters einst populäres, heiter-gemütvoll durchwärmtes Œuvre ist die späte Frucht eines schwierigen Lebens. Eigentlich wäre der begabte, früh mutterlose einzige Sohn eines autoritären Bürgermeisters (geboren am 7. November 1810 in Stavenhagen) lieber ‚Landmann', Architekt oder Maler geworden, doch studiert er in Rostock und Jena unter feuchtfröhlichen Umständen widerwillig Jura und gerät 1833 in die ‚Demagogenverfolgung'. Obwohl harmlose Randfigur, wird er als Hochverräter zum Tode, gnadenhalber zu 30, später 8 Jahren Haft verurteilt, die er mit anderen ‚Königsmördern' zumeist auf preußischen Festungen absitzt. Hier legt er den Grund zu seinem lebenslangen Leiden, hier entfaltet sich auch seine besondere Gabe: der einfühlende Blick für den konkreten Menschen in seiner Widersprüchlichkeit. 1840 amnestiert, kommt er schließlich, vom Vater als Trinker fallengelassen, für 8 Lehrjahre, eher Hausfreund als „Strom" (Eleve), bei wohlmeinenden Gutsbesitzern unter, und macht sich, nach dem Intermezzo der gescheiterten Revolution, nicht als Landwirt, sondern als Privatlehrer in einer Kleinstadt selbständig und heiratet 1851 seine langjährige Verlobte, eine kluge, ehrgeizige Pfarrerstochter. 1853 erscheinen im Selbstverlag ‚Läuschen un Rimels', heitere, gereimte, plattdeutsche Anekdoten, die in realistischer Typenzeichnung ländlichen Alltag spiegeln und Reuter rasch bekannt machen. Doch tastend, hochdeutsch, schrieb er auch schon im Vormärz: antifeudale Satiren, sowie an einem agrarischen Bildungsroman, Keimzelle der ‚Stromtid'. Mit dem plattdeutschen Neuanfang kommt der Erfolg: Bismarck nennt ihn den „auserwählten Volksdichter". Zwischen 1857 und 1866 erscheinen seine Hauptwerke: anfänglich Verserzählungen eher betulicher Art – doch ‚Kein Hüsung' ist düster-balladeske Sozialanklage gegen junkerliche Willkür –, sodann realistische Erzähl-Prosa von lächelnder Selbstironie und zumeist autobiographischer Färbung, gipfelnd im breiten und humoristischen Epos des Mecklenburger Landes, dem großen Roman ‚Ut mine Stromtid'. Am 12. Juli 1874 stirbt er in Eisenach. Heute entdeckt man in dem humoristischen Mundart-Autor Elemente einer Jahrhundertfigur, eines auch in seiner Nachwirkung bedeutenden realistischen Erzählers, Menschenzeichners, Moralisten und Sozialkritikers, der sich der Auseinandersetzung mit seiner Epoche gestellt hat. – Xylographie nach einer Zeichnung von Fritz Kriehuber. (Bildarchiv der Österreichischen Nationalbibliothek Wien) *Friedrich Minssen*

Wilhelm Heinrich Riehl
1823–1897

Dank seiner überaus regen Publikations- und Vortragstätigkeit war Wilhelm Heinrich Riehl der einflußreichste und wirksamste Kulturhistoriker seiner Zeit. Der Sohn eines herzogl. nassauischen Schloßverwalters – am 6. Mai 1823 in Biebrich geboren – studierte protestantische Theologie, entschloß sich jedoch unter dem Einfluß Vischers, Arndts und Dahlmanns, sich „ganz dem Studium unseres Volkes und seiner Gesittung" zu widmen. Als Redakteur lokaler Blätter und zuletzt der Allgemeinen Zeitung in Augsburg äußerte er sich aus konservativer Sicht zu politischen, sozialen und wirtschaftlichen, volkskundlichen, musik-, kunst- und kulturgeschichtlichen Fragen. Diese Aufsätze sowie Beobachtungen auf seinen zahlreichen Wanderungen durch verschiedene Landstriche Deutschlands bildeten die Bausteine für ‚Die Naturgeschichte des Volkes als Grundlage einer deutschen Sozialpolitik'. Das Werk, das hohe Auflagen erlebt und Volkskunde, Soziologie sowie Kulturgeschichte ungemein befruchtet hat, setzt sich aus den vier Bänden ‚Land und Leute' (1854), ‚Die bürgerliche Gesellschaft' (1851), ‚Die Familie' (1855) und ‚Wanderbuch' (1869) zusammen. Als gewisse Ergänzung ist ‚Die deutsche Arbeit' (1861) zu betrachten. König Max II. von Bayern holte Riehl 1854 nach München. Er wurde Honorarprofessor, 1859 ordentl. Professor für Kulturgeschichte und Statistik. 1857 übernahm er die Leitung der ‚Bavaria', einer Landesbeschreibung in statistischer, historischer, topographischer und volkskundlicher Beziehung, 1870 die Redaktion des ‚Historischen Taschenbuches'. 1885 bis zu seinem Tode am 16. November 1897 war er außerdem Direktor des Bayerischen Nationalmuseums und Generalkonservator der Kunstdenkmäler Bayerns. Anders als seine Novellen oder gar seine Kompositionen verdient Riehls wissenschaftliches Werk noch immer unser Interesse. Als typischer Vertreter des Bürgertums seiner Zeit propagierte Riehl seine Vorstellungen einer patriarchalischen Familienordnung und einer ständestaatlichen Gesellschaft. Indem er Zusammenhänge zwischen Land und Volk aufzeigte, glaubte er Naturgesetze des Volkstums erkennen zu können. Entspringen manche Folgerungen auch seiner rückwärtsgewandten, nationalistischen Haltung, wurde Riehl doch dank seiner empirischen Methode zum Begründer der historischen Volkskunde in Deutschland. – Photographie von Franz Hanfstaengl aus dem Jahre 1856 (Münchner Stadtmuseum).

Franz Menges

Otto Roquette
1824–1896

Otto Roquette.

Holunderbaum.

Da droben auf jenem Berge
steht
Ein Holunderbaum, vom Wind
umweht,
Gewieget zu der Erden.
Die Nacht ist hell und die Luft
ist kühl,
Zwei Buhlen weinen der Thrä-
nen viel,
Sie müssen scheiden, ja
scheiden.
Sie rissen mit Thränen, mit
Thränen sich los,
Der Schmerz war tief und der
Schmerz war groß,
Sie sahen sich niemals wieder.
Er zog wohl über das weite
Meer,
Sie hört eine traurige Todes-
mähr'
Und ging weit über die Berge.

Der am 19. April 1824 in Krotoschin/Posen als Sohn eines Juristen geborene Otto Roquette entstammt einer Refugiéfamilie, deren Name das einzige an „ihre außerdeutsche Herkunft" Erinnernde ist, wie er in seinen Memoiren zu betonen bemüht ist. Bestimmt, in die Fußstapfen seines Großvaters, eines Frankfurter Pastors, zu treten, besucht er das dortige Gymnasium. Heimliche Dichtungsversuche im Freundeskreis lassen ihn seine wahre Neigung erkennen, so daß er sich dem Studium der Geschichte, Philosophie, neueren Sprache und Literatur in Heidelberg, Berlin und Halle (bei Robert Prutz) zuwendet. Es entstehen Gelegenheitsgedichte, kleine im geselligen Kreis aufgeführte Lustspiele und – auf Initiative Paul Heyses, der Berliner Kommilitonen – erste unbeachtet gebliebene Gedichtveröffentlichungen in Almanachen. Im Promotionsjahr 1851 (‚Über die Entwicklung des Dramas', ungedruckt) erscheint bei Cotta Roquettes Erstling und zugleich größter Erfolg, das Versepos ‚Waldmeisters Brautfahrt. Ein Rhein-, Wein- und Wandermärchen' (50. Auflage 1880, 79. Auflage 1907; als Oper in Hamburg und New York aufgeführt), von der Kritik als eines der „zartesten und duftigsten Erzeugnisse" bezeichnet, das in keinem deutschen Haus, wo edle Poesie gepflegt wird, fehlt (A. Hinrichsen). Roquettes Lieder findet man in Almanachen, Anthologien oder vertont in Konzertprogrammen. Daneben sichert er seinen Lebensunterhalt durch Privatunterricht ‚höherer Töchter', Vortrags- und Lehrtätigkeit (seit 1869 Professor für Geschichte, deutsche Literatur und Sprache am Polytechnikum Darmstadt) sowie literarhistorische Arbeiten (deutsche Literaturgeschichte, deutsches Lesebuch, Festvorträge). 1893 wird Roquette, der u. a. mit Fontane, Liszt, Heyse, Schack, Scherenberg, Grosse verkehrt, zum Geheimen Hofrat ernannt. Am 18. März 1896 stirbt Otto Roquette, dem die Dichtung „immer eine Zuflucht und ein Heilmittel gegen jede Widerwärtigkeit" (Memoiren) gewesen war – traditionell im Formalen, affirmativ-verharmlosend im Inhaltlichen oder – wie es ein Zeitgenosse sagt: „Er analysiert nicht, er philosophiert nicht, er erzählt . . . verzweifelt naiv" (L. Geiger). – Das Miniaturporträt (nach einer Photographie) steht als Beispiel für die Selbstpräsentation des Dichters, für den Umgang mit dem Dichterbildnis und für den Illustrationsgeschmack der Zeit. (Lust und Leid im Liede. Neuere deutsche Lyrik. Ausgewählt von Hedwig Dohm und F. Brunold, 7. Aufl., Leipzig ca. 1888)

Eva-Maria Brockhoff

Peter Rosegger
1843–1918

Im Altersrückblick sieht Peter Rosegger sein – 40bändiges, in Millionenauflagen verbreitetes – Gesamtwerk im wesentlichen als die Beschreibung seines Lebens, „des inneren mehr als des äußeren". Roseggers Dichtung zeichnet in der Tat einerseits seinen Weg vom Waldbauernbuben zum dreifachen Ehrendoktor nach und kreist andererseits – für Kohlschmidt ein „Modellfall der Heimatkunst aus dem Süden" – um Landschaft, Lebensweise, (Sonderlings-)Gestalten und Sozialprobleme der begrenzten Welt seiner Heimat, der Steiermark (‚Als ich noch der Waldbauernbub war'). Dort wird er am 31. Juli 1843 in Alpl bei Krieglach als Sohn eines Kleinbauern hineingeboren in die unruhige Zeit des wirtschaftlichen und gesellschaftlichen Umbruchs im ländlichen Raum, dem auch der Hof des Vaters zum Opfer fällt. Bis siebzehn ist Rosegger Hirtenjunge und Kleinknecht, dann wandernder Schneiderlehrling, sporadisch unterrichtet vom 1849 vertriebenen liberalen Schulmeister Patterer. Vermögende, liberal gesinnte Förderer ebnen dem talentierten Autodidakten den Weg nach Graz, einer Pflegestätte der Literatur in den sechziger Jahren, wo er nach gescheiterter Buchhändlerlehre in Laibach die Handelsschule absolviert und bald an verschiedenen Zeitungen mitwirkt. Ein Stipendium ermöglicht ausgedehnte Reisen, er heiratet, doch seine erste Frau stirbt früh. Der unermüdliche Schriftsteller und Publizist ist nicht so sehr Kulturkämpfer wie Anzengruber; seine Romane und Dorfgeschichten gehen vielmehr eine Verbindung von Volkserziehung im Sinne josephinischer Aufklärung mit Elementen der Empfindsamkeit und Romantik ein (‚Die Schriften des Waldschulmeisters'). Ab 1876 gibt er die Monatsschrift ‚Heimgarten' heraus, in der er vehement zu Fragen des öffentlichen Lebens Stellung nimmt (er initiiert Spendenaktionen) und in der alle seine weiteren Werke erscheinen: ‚Jakob der Letzte' und ‚Das ewige Licht' gestalten den Untergang des Kleinbauerntums durch Großgrundbesitz und Industrialismus, ‚Erdsegen', ‚Weltgift' und ‚Die beiden Hänse' fordern den Ausgleich von Stadt und Dorf, von Natur und Kultur. Als engagierter Kämpfer gegen starre kirchliche Lehrautorität (‚Der Gottsucher') auf der einen und gegen philosophischen Materialismus auf der anderen Seite ist der zu Ruhm und Wohlstand gelangte volkstümliche Erzähler Rosegger eine Stütze der Monarchie. Ihr Auseinanderbrechen erlebte er nicht mehr, als er am 26. Juni 1918 in seiner ‚Waldheimat' starb. – Photographie: Rosegger am Verlagstisch. 1903. (Schiller-Nationalmuseum Marbach a. N.) *Eduard Beutner*

Ferdinand von Saar
1833–1906

An Ferdinand von Saar hat nicht nur die literarische Mitwelt, sondern auch die Nachwelt gesündigt: Seine Erzählungen fanden zu seiner Zeit keine Käufer und kaum Anklang, und sie sind heute fast vergessen. Auf den Dichter selbst hat sich dies bitter genug ausgewirkt. Am 30. September 1833 in Wien geboren, wurde er 1849 Offizier, quittierte aber nach dem italienischen Feldzug 1860 den Dienst, um als freier Schriftsteller in Wien zu leben. Sein Versuch als Dramatiker (,Kaiser Heinrich IV.', 1865 und 1867) scheiterte – ein typisches Phänomen bei den großen Erzählern des Realismus. Es folgten Jahre des Ringens und Bemühens, die seine Produktion lähmten und ihn in tiefste Not brachten. Aus dieser befreiten ihn seit 1871 adelige Gönnerinnen (Josephine von Wertheimstein, Altgräfin Salm), die ihm den Aufenthalt in ihren Villen und Schlössern (vor allem in Blansko in Mähren) ermöglichten. Erst 1873 fand der Dichter Saar seinen Weg. Es erschien seine zweite Erzählung ,Marianne' – die erste, ,Innocens', war schon 1866 herausgekommen –, und regelmäßig, wenn auch langsam, schuf er weitere, etwa ,Die Steinklopfer' (1874), ,Die Geigerin' (1875), ,Tambi' (1883), ,Leutnant Burda' (1889), ,Seligmann Hirsch' (1889), ,Geschichte eines Wienerkindes' (1892), ,Requiem der Liebe' (1897), ,Schloß Kostenitz' (1897), ,Die Pfründner' (1906). Allmählich hatte Saar seinen Ruf festigen können, aber es war zu spät: unheilbar krank, wählte er am 24. Juli 1906 den Freitod. Sein Werk ist bis heute nicht gewürdigt, obwohl es doch in so vielfacher Hinsicht, geistesgeschichtlich wie philosophisch, ästhetisch wie soziologisch, bedeutsam ist. Indem es zwischen dem 19. und 20. Jahrhundert steht, beherrscht es die Erkenntnisse jenes und weist gleichzeitig auf die neuen Strömungen in diesem voraus. Ist Saar ein tiefer Denker und ein scharfer Gesellschaftskritiker, so ist er doch vor allem Dichter, ein Künstler der Darstellung und der Form, an der er unentwegt feilte, bis sie zu jener Vollendung gedieh, die er erstrebt, die aber auch unsere Zeit noch lange nicht genügend erkannt hat. – Das Pastellbild wurde 1888 von Ludwig Michalek in Blansko gemalt und liegt im Historischen Museum der Stadt Wien. *Karl Konrad Polheim*

Adolf Friedrich Graf von Schack
1815–1894

,,Ein so reiches Leben" geführt zu haben, wie es ,,in keiner der früheren Epochen möglich gewesen wäre", kann Adolf Friedrich Graf von Schack 1888 resümieren, und die Bilanz bezieht sich auf die Vielfalt der Tätigkeit ebenso wie auf seine äußeren Lebensgewohnheiten. Am 2. August 1815 als Sohn eines Diplomaten und Großgrundbesitzers bei Schwerin geboren, erlaubten ihm glänzende Vermögensverhältnisse schon während Studienzeit (Jura, Literaturgeschichte, Orientalistik) und diplomatischer Laufbahn (bis 1852) wiederholt, Südeuropa und den Orient zu bereisen, aus eigener Anschauung fremde Literaturen kennenzulernen, umfassende Sprachkenntnisse zu erwerben. Große Beachtung finden seine ‚Geschichte der dramatischen Literatur und Kunst Spaniens' (1846) und insbesondere die Übertragung der persischen ‚Heldensagen des Firdusi' (1852), worauf die Einladung an den bayerischen Hof folgt; der historistische Gelehrte mit der romantischen Sehnsucht einer Weltliteratur in deutscher Sprache schließt sich dem ‚Münchner Dichterkreis' an. Es erscheinen weiterhin Übersetzungen (Nachdichtungen) aus dem Indischen (‚Stimmen vom Ganges', 1857), Spanischen (Calderón) und anderen Kulturen, finden auch Resonanz – seit Goethe, Rückert, Platen besteht breiteres Interesse dafür. Wer wie der Weltbürger Schack (meist die Hälfte des Jahres auf Reisen) in das Werk anderer einzudringen vermochte, mußte poetischen Sinn haben, und wirklich hat er schon früh auch selbst geschrieben, gibt aber erst 1867 die ‚Gedichte' heraus. Ein kleines Trauerspiel beginnt: unentwegt legt er, in Geringschätzung jeglicher Prosaform, Balladen, Tragödien (‚Die Pisaner', 1872), Romane (‚Ebenbürtig', 1876 – gegen deutschen Adelsdünkel) vor – in endlosen geschichtlichen Versreihen moralisierend, an wissentlichem Eklektizismus auch in der Münchner Epigonen-Mischung einzigartig. ,,Ein liebenswürdiger Dichter, aber kein großer" (Fontane), der ,,eisige Kälte und tödliche Gleichgültigkeit, welche die ganze deutsche Nation meinem geistigen Schaffen zeigt" erfahren muß: ,,In die Luft ist ungehört / meiner Worte Klang verschollen" (‚Lotosblätter', 1892). Noch zu Lebzeiten, Schack stirbt am 14. April 1894 in Rom, gründet sich sein Bekanntheitsgrad vor allem auf die mit sicherem Gespür für zeitgenössische Meister in München eingerichtete öffentliche ‚Schack-Galerie' des Mäzens. – Dort befindet sich das Porträt, das Lenbach 1875 gemalt und Schack selbst als das beste bezeichnet hat. (Bayerische Staatsgemäldesammlungen München) *Rüdiger Bolz*

Joseph Victor von Scheffel
1826–1886

Als den Dichter, „den die deutsche Nation nicht allein verehrt, sondern auch liest", bezeichnete Carl Spitteler Joseph Victor von Scheffel bei seinem Tode am 9. April 1886. „Unabhängig und oft in Opposition mit den kritischen Urteilen hat er sich die Herzen der deutschen Nation erobert. Sein Begräbnis bedeutet für Deutschland eine Nationalfeier, wie dasjenige Victor Hugos für Frankreich." Von schwäbisch-alemannischen Vorfahren abstammend, wurde Scheffel am 16. Februar 1826 in Karlsruhe geboren. Auf Willen seines Vaters studierte der begabte Schüler und spätere Burschenschaftler Jura in München, Heidelberg und Berlin, war nach der Promotion 1848 Sekretär des badischen Bundestagsabgeordneten Welcker und 1850 Rechtspraktikant am Bezirksamt Säkkingen. Zwei Jahre später gibt er seine Beamtenlaufbahn auf und reist nach Italien, beseelt von dem Wunsch, Maler zu werden. Bald muß er die Grenzen seines Talents erfahren, entwickelt aber seine ihm von der Mutter vererbten und schon in seiner Studienzeit ausgeprägten poetischen Neigungen. In Capri entsteht das eine seiner beiden berühmten Werke: das Versepos ‚Der Trompeter von Säckingen' (1854). Das andere, der vaterländische Roman ‚Ekkehard. Eine Geschichte aus dem 10. Jahrhundert', erscheint 1855, angeregt durch seine deutsche Übersetzung des lateinischen Waltharius-Liedes. Eine zweite Italienreise, auf der er Anselm Feuerbach begegnet, mehrere Aufenthalte in Frankreich und Wanderjahre in Süddeutschland sind weitere Stationen seines Lebens. In München verkehrt er mit den Dichtern, die Maximilian dorthin berufen hatte. 1858 ist er ein Jahr lang Hofbibliothekar des Fürsten von Fürstenberg in Donaueschingen; er folgt einer Einladung des Großherzogs von Sachsen-Weimar auf die Wartburg und erwirbt sich 1872 einen idyllischen Landsitz in Radolfszell. Der auch durch seine ‚Gaudeamus'-Lieder bekannte und verehrte Dichter wird 1876 bei seinem 50. Geburtstag vom Großherzog Friedrich von Baden geadelt. Seine noch reichlich entstehenden Werke erreichen nicht mehr die Beliebtheit der früheren, besonders des ‚Ekkehard', von dem Stefan Zweig noch 1926 meinte, „als Volksbuch, als ewiges Lieblingsbuch jeder Jugend bleibt es alterslos und wird sich jede Generation aufs neue gewinnen". – Die Photographie zeigt Scheffel im Jahr 1880 (Schiller-Nationalmuseum Marbach a. N.)

Günter Häntzschel

Christian Friedrich Scherenberg
1798–1881

Einen ,,Liebling und Malträteur der Musen" nannte Wilhelm von Merckel den am 5. Mai 1798 in Stettin geborenen, am 9. September 1881 in Berlin gestorbenen Kaufmannssohn Christian Friedrich Scherenberg. Erst als Vierzigjähriger macht er in der Berliner Literaturszene von sich reden. In schlimmer materieller Lebenslage gelingt ihm der Einstieg in den bekannten Literatenclub ,Tunnel über der Spree', den klingende Namen wie Strachwitz, Lepel und Fontane garnieren. In den folgenden Jahren (1840–1846) bringt er da neuartige, fast naturalistisch wirkende Gedichte zu Gehör, ,,von solcher Originalität und Frische, daß er weder Vergleich noch auch Mitbewerbung zu scheuen hatte", wie Fontane – sichtlich beeindruckt – kommentiert. Formal und inhaltlich sprengt er den Rahmen der gängigen Reimerei der vierziger Jahre. Seine stärksten Gedichte (,Fischers Heimbucht', ,Die beiden Reiter', ,Die Gasse', ,Der verlorene Sohn') können als Ausdruck kleinbürgerlicher Orientierungslosigkeit in einer Episode gesellschaftlichen Umbruchs gelten. Existenzpessimismus schopenhauerscher Prägung, Anklänge an romantische Naturphilosophie und barocke Sprachartistik bestimmen sein lyrisches Œuvre. Diese Seite Scherenbergs ist allerdings über die ,Tunnel'-Grenzen hinaus kaum bekannt und beachtet. Urplötzlich ins Rampenlicht bringen ihn seine epischen Bearbeitungen preußischer Kriegstaten (,Ligny', 1846; ,Waterloo', 1848; ,Leuthen', 1852). Zwar reizt ihn in erster Linie die Aufgabe der anspruchsvollen literarischen Darstellung dieses spröden Stoffes, aber ehe er sich versieht, wird er der ,,Tyrtäus der preußischen Reaction", die sofort – voller Gier nach dem ,,ächten Nationalepos" – zugreift. Robert Prutz und Gottfried Keller als interessierte Beobachter und Kritiker erkennen diese Zusammenhänge, für das breite Publikum und lange Zeit auch für die Literaturgeschichte ist Scherenberg nur der ,,Schlachtensinger der Hohenzollern'. Kein Wunder bei höchstköniglichen Verehrern von Wilhelm IV. bis Ludwig II. von Bayern und der Tatsache, daß in preußischen Schulbibliotheken der obligatorische Scherenberg stand! Dieser einseitigen Vermarktung kann er sich nicht entziehen, sie bedeutet sein schöpferisches Ende. – Der Stahlstich von Carl Mayer's Kunst-Anstalt in Nürnberg ist als Frontispiz dem ,Deutschen Musenalmanach' von 1856 beigegeben. *Willi Plankl*

Wilhelm Scherer
1841–1886

Für das Verständnis der Geschichte der Deutschen Philologie sind Leben und Werk des in Schönborn/Niederösterreich am 26. April 1841 geborenen und am 6. August 1886 in Berlin gestorbenen Germanisten Wilhelm Scherer in mancherlei Betracht paradigmatisch: Zum einen ist mit seiner Person und seinem Wirken insbesondere in Straßburg (ord. Professor 1872) und Berlin (seit 1877) jene preußisch-nationale Ideologie verknüpft, die bereits in seiner ‚Geschichte der deutschen Sprache' (1868) als „System der nationalen Ethik" propagiert wird und die nationalistischen Bahnen der späteren Germanistik vorwegnimmt. Zum anderen dokumentiert Scherers Œuvre eine erste Blütezeit dieser Wissenschaft, die sich in Scherers populärer ‚Geschichte der deutschen Literatur' (1880–1883) ebenso manifestiert wie in seinen zahlreichen altgermanistischen Forschungen, sein Goethe-Engagement (‚Aufsätze über Goethe', Weimarer Sophien-Ausgabe) charakterisiert oder die posthume ‚Poetik' (1888). Enzyklopädische Vielseitigkeit und pro-preußische Haltung verbinden sich bei Scherer, der als Schüler von Franz Pfeiffer an der Wiener Universität beginnt, in Berlin bei Müllenhoff „wissenschaftliche Methode" lernt und ebenfalls dort in Jacob Grimm die „gleichsam symbolische Persönlichkeit" erlebt, in der die „deutsche Wissenschaft sich im nationalen Sinne zusammenschloß". Das positivistische Wissenschaftsideal seiner Zeit, dem Scherer entspricht und dessen Ziel es ist, „Geschichte als eine lückenlose Kette von Ursachen und Wirkungen" zu erklären, korrespondiert mit dem Bewußtseinsstand des saturierten Bürgertums des Wilhelminischen Reiches. Im Versuch, Kausalität als methodisches Zentralprinzip der Geisteswissenschaft zu etablieren, werden Grundpositionen naturwissenschaftlicher Erkenntnislehre analogisiert. Objektivität der Fakten und Tatsachen, Induktion als Verfahren, die biographistische Einheit von Leben und Werk, eine antimetaphysische Einstellung gründen im euphorischen Glauben an die unüberwindbare Macht der Naturwissenschaften. Heute stellt sich gegenüber dem positivistischen Gelehrtenideal mancher Vorbehalt ein; unbestritten aber gehört Scherer zu den wirkungsvollsten und populärsten Vertretern der Berliner Germanistik des 19. Jahrhunderts, neben Dilthey wirkend, mit dem ihn Freundschaft verbindet, und, gleich diesem, richtungweisend für die Entwicklung dieser Wissenschaft. – Die Photographie zeigt den 44jährigen in seinem Todesjahr 1886. (Ulrich Pretzel, Hamburg)

Gunter Reiß

Julian Schmidt
1818–1886

Politisches Engagement und literarische Kritik charakterisieren die Biographie Julian Schmidts (geboren am 7. März 1818 in Marienwerder, gestorben am 27. März 1886 in Berlin), die publikumswirksame Publizistik und literarhistorisch geprägtes Gelehrtentum in einer für die Anfänge der Germanistik typischen Weise verbindet (wie auch bei Grimm, Gervinus, Scherer u. a.). 1840 in Königsberg promoviert, absolviert Schmidt im gleichen Jahr auch die Oberlehrerprüfung und ist bis 1847 zuerst in Marienwerder, dann in Berlin als Gymnasiallehrer tätig. 1847 siedelt er nach Leipzig über, wirkt als freier Schriftsteller und Zeitungskritiker und übernimmt mit Gustav Freytag 1848 die Redaktion der ‚Grenzboten', deren pro-preußischer Kurs maßgeblich von ihm mitbestimmt wird. 1848, noch in Berlin entstanden, erscheint die ‚Geschichte der Romantik im Zeitalter der Reformation und der Revolution'. Aus den Essays der ‚Grenzboten' formt er die zweibändige, populäre ‚Geschichte der deutschen Nationalliteratur im 19. Jahrhundert' (1853, 4. Auflage 1858) und ergänzt sie durch eine zweibändige ‚Geschichte des geistigen Lebens in Deutschland von Leibniz bis zu Lessings Tod' (1862). Nicht nur Beleg für Schmidts rastlose Produktivität sind Umarbeitungen und Neuauflagen dieser annalistisch dokumentierenden Literaturgeschichte, sie belegen auch die Entwicklung seines politischen Standorts, der eng an Preußen und Bismarcks Politik anschließt, die der Nationalliberale Schmidt durchaus in seinen literarhistorischen Arbeiten unterstützt. Nach 13 Jahren ‚Grenzboten' verläßt er Leipzig, in Berlin arbeitet er als Redakteur der ‚Berliner Allgemeinen Zeitung', einer Zeitungsgründung der altliberalen Partei von nur kurzer Dauer. Seit 1863 widmet sich Schmidt als freier Schriftsteller in Berlin wieder verstärkt seiner erfolgreichen literarischen Tätigkeit. Es entstehen drei Sammlungen von Essays über ‚Bilder aus dem geistigen Leben unserer Zeit' (1870, 1871, 1873), ‚Charakterbilder aus der zeitgenössischen Literatur' (1875) und ‚Porträts aus dem 19. Jahrhundert' (1878). Insbesondere aber bindet die neuerliche Umarbeitung und Synthese seiner literaturgeschichtlichen Arbeiten die schöpferischen Energien; die beiden ersten Bände des geplanten voluminösen Gesamtwerks kann er noch bis zu seinem Tode 1886 selbst fertigstellen. – Der nach einer Photographie angefertigte Holzschnitt erschien 1878 in der ‚Leipziger Illustrirten Zeitung'.

Gunter Reiß

Levin Schücking
1814–1883

Zeittypisch über die Kritik zur Literatur gelangt, als die jungdeutsche belletristische Zeitschriftenflut die Grenzen zur Journalistik verwischte; nach Mitte des Jahrhunderts unter dem Einfluß der Familienjournale zu einem der meistgelesenen Erzähler avanciert, verkörpert Levin Schücking (geboren am 6. September 1814 in Meppen, gestorben am 31. August 1883 in Bad Pyrmont) mit seinem rund 150teiligen, qualitativ ungleichen Werk ein universales Literatentum (kulturhistorische Romane, Erzählungen, Dramen, Reiseliteratur; dazu viele essayistische, kritische und publizistische Arbeiten). Nach Jugend im Jagdschloß Clemenswerth und Jura-Studium 1841–1842 Bibliothekar Laßbergs und Droste-Freund auf der Meersburg, 1842–1843 Erzieher beim Fürsten Wrede in Ellingen, ist er 1843–1845 Redakteur der Augsburger ‚Allgemeinen Zeitung' und leitet ab 1845 das Feuilleton der ‚Kölnischen Zeitung' (‚Eine Römerfahrt', 1848), bevor er, seit 1843 mit der Schriftstellerin Louise von Gall vermählt, 1852 als freier Schriftsteller das Familiengut in Sassenberg bezieht. Mit den Jungdeutschen verficht der Freund Gutzkows eine – zunehmend auf Bildung gegründete – Emanzipation, insbesondere der Frau, gegen Adelsvorrecht (‚Die Ritterbürtigen', 1846) und Katholizismus (‚Die Heiligen und die Ritter', 1873). Mit dem (konservativen) Biedermeier teilt er die Hinwendung zur Heimat (‚Das malerische und romantische Westphalen', 1841, begonnen von seinem Freund Freiligrath); ihn fasziniert die Kontinuität des geschichtlich Gewordenen (‚Paul Bronckhorst', 1858; ‚Das Recht des Lebenden', 1880), aber sein auf Freiheit angelegter Geschichtsprozeß gleicht dem dialektischen Hegels, in dem „Aufhebung" auch Liquidierung bedeutet, Bestehendes wert ist, daß es zugrunde geht. Die antagonistische Werkstruktur mit nach rückwärts gewandter, meist feudalaristokratischer Kulisse (Detailrealismus in der Darstellung von Schlössern und Edelhöfen) und vorausweisender Idee enthüllt die Spannung zwischen Gemüt und Intellekt (‚Schloß Dornegge', 1868), Bindung und Emanzipation als Grundproblematik seines Lebens und Werks: Adelsapologet und -ankläger, Geisterseher und Aufklärer, Westfalen-Verehrer und -Kritiker. ‚Die Ritterbürtigen' bewirkten die Abkehr Annettes von Droste-Hülshoff, deren Liebesfreundschaft ihn zum Promotor des Droste-Werks machte. – Die wenig bekannte Photographie befindet sich im Besitz der Familie Schükking, Farchant/Obb.

Manfred Schier

Charles Sealsfield
Pseudonym für Karl Postl
1793–1864

Aus der pseudonymen Tarnung (C. Sidons, Charles Sealsfield) antwortet der deutsch-amerikanische Journalist und Romancier Karl Postl der modischen Amerika-Sehnsucht Europas mit seinen belehrenden Darstellungen der Neuen Welt. Entgegen den zeitgenössischen Entwürfen versteht er seine frührealistischen Zeitromane zur demokratischen Gesellschaftsentwicklung als „Bildungs- und Aufklärungsmittel [in] sittlich-patriotischer Hinsicht", um literarisch der europäischen Restauration entgegenzuwirken. Der 1822 illegal ausgewanderte Weinbauernsohn und geweihte Ordenssekretär, geboren am 3. März 1793 im mährischen Poppitz, verbindet josephinische Spätaufklärung seines Lehrers B. Bolzano, die Ablehnung des orthodoxen Katholizismus, Ideen romantischen Nationalbewußtseins mit dem Amerikanismus der Südstaatengesellschaft zum Weltbild einer agrar-sozialen Ordnung. W. Irving und J. F. Cooper als idealisierende Erzähler ablehnend, die Transzendentalisten ignorierend, folgt Sealsfield W. Scotts Geschichtsromanen und schildert erstmalig differenziert die Auseinandersetzungen um die missionarische Verbreitung der republikanischen Staatsidee in beiden Amerika, was ihm als Bestsellerautor den Beifall der Jungdeutschen einbringt. Mit den kritisch informierenden Länderberichten ‚Die Vereinigten Staaten von Nordamerika' (1827) und ‚Austria, as it is' (1827) stellt Sealsfield seine politische Position vor, mit ‚Tokeah, or the white rose' (1829, dt. 1833) legt er epische Konzeption, politisch-pädagogischen Erzählerauftrag und Deutschsprachigkeit fest. Wie ‚Der Virey und die Aristokraten' (1834), ‚Morton oder die große Tour' (1835), die ‚Lebensbilder aus der westlichen Hemisphäre' (1834/37), ‚Das Cajütenbuch oder nationale Charakteristiken' (1841) sind alle Romane episodisch-facettenreiche Plädoyers für die Gesellschaft des amerikanischen Südwestens und ihren natürlichen Zivilisationsauftrag. Weil für die Neue Welt Deutschsprachigkeit und ein obsolet gewordener Gesellschaftsentwurf, für die Alte Welt die Restauration Sealsfields Amerikaromane vergessen lassen, stirbt der Autor fast unbemerkt am 26. Mai 1864 in seinem Schweizer Exil Solothurn. – Die einzige erhaltene Photographie Sealsfields befindet sich im Sealsfield Archiv Kresse, Stuttgart. *Alexander Ritter*

Friedrich Spielhagen
1829–1911

„Dem Jahrhundert und Körper der Zeit den Abdruck seiner Gestalt zu zeigen", war die Maxime seines Lebens, an dessen Ende am 25. Februar 1911 Friedrich Spielhagen 29 Bände mit Romanen, Gedichten, Essays und Theaterspielen hinterließ. Er war am 24. Februar 1829 in Magdeburg geboren und wuchs in Stralsund auf, wo ihm die repressive und amusische Erziehung des Vaters eine triste Kindheit bereitet hatte. Später verklärten sich diese Jahre, und seine Landschaftsschilderungen brachten ihm den Ruhm eines pommerschen Heimatdichters. Erst nach einer mühseligen Hauslehrerzeit konnte er sich endlich um 1860 als hochbezahlter und freier Schriftsteller etablieren. Zehn Jahre nach der gescheiterten bürgerlichen Revolution von 1848 goß er durch seinen 2bändigen Roman ‚Problematische Naturen' wieder Öl in die schwelenden Flammen des Kampfes um politische Freiheit und einen Umsturz der Herrschaftsverhältnisse. ‚In Reih und Glied' (1866) rechnete mit der Unterdrückung durch das preußische Regime ab, ‚Hammer und Amboß' (1869) sang das Hohelied der Arbeit und ‚Sturmfluth' (1877) spiegelte den Gründerschwindel wider. Neben Gutzkow und Freytag vertrat er den modernen Zeitroman und gab der Romantheorie wichtige neue Akzente (‚Beiträge zur Theorie und Technik des Romans', 1883). Doch der demokratische Liberale hatte seine soziale Kritik mit einem idealistischen Überbau aufgestockt, mit dem er hart zwischen die Fronten geriet. An diesen mehr idealen Modellen von Mensch und Gesellschaft stärkten sich einige Zeit lang viele in ihren Hoffnungen auf Veränderbarkeit, doch in der gewandelten Gesellschaft der Reichsgründer und Bismarckenthusiasten sank das Interesse für soziale und humane Ideale. Auch die aufkommenden Naturalisten zerfetzten ihn und warfen ihm vor, daß seine angeblich realistischen Helden kaum das Wort ‚Hosenträger' auszusprechen wagten. Er führte als Gentlemen-Autor in Berlin ab 1862 einen dem Aristokratischen huldigenden Lebensstil – den er sich auch leisten konnte, denn zunächst wurde er fleißig und begierig weitergelesen. Das letzte Jahrzehnt verbrachte er vornehm zurückgezogen, gelassen repräsentierend und repräsentativ als der Typus eines ad acta gelegten Autors, mit dessen demokratischen und humanen Idealen sich nun niemand mehr beschäftigen wollte. – Die Photographie zeigt Spielhagen an seinem siebzigsten Geburtstag, der ihm noch einmal größte Ovationen einbrachte. (Westermanns deutsche Monatshefte 85/1899)

Uta Kreuter

Johanna Spyri
1827–1901

Als Tochter eines zürcherischen Landarztes und der als Verfasserin von geistlichen Liedern bekannten Meta Heusser am 12. Juni 1827 geboren, verlebte Johanna Spyri eine glückliche Jugend im Kreis einer kinderreichen Familie. Von 1852 bis zu seinem Tod 1884 war sie mit dem Rechtsanwalt und späteren Zürcher Stadtschreiber Bernhard Spyri verheiratet. Sie nahm am gesellschaftlichen Leben Zürichs teil, wo sich die von ländlichen Sitten geprägte Frau nicht recht wohl fühlte. Gegen ihr Lebensende – sie starb am 7. Juli 1901 – lebte sie sehr zurückgezogen. Ohne irgendetwas mit den emanzipatorischen Bewegungen der Zeit zu tun zu haben, war sie eine selbständige, mutige, eine „gescheite Frau", wie C. F. Meyer sie mehrfach nannte. Obwohl sie seit ihrer Jugend dichtete, kam ihr erstes Buch (‚Ein Blatt auf Vrony's Grab') erst 1871 anonym heraus. Die ersten Erzählungen wenden sich an junge Mädchen, mit denen sich Johanna Spyri besser verstand als mit kleinen Kindern. Die für Jugendliche und Erwachsene geschriebenen Bücher (‚Im Rhonethal', ‚Am Sonntag', ‚Sina' u. a.) haben eine stark religiöse Grundtendenz: meistens kommt jemand vom Unglauben zum Glauben. Berühmt wurde die Schriftstellerin mit ihrem (nach ‚Heimathlos' und ‚Aus Nah und Fern') dritten, in viele Sprachen übersetzten Kinderbuch ‚Heidi's Lehr- und Wanderjahre' (1880). Es hatte einen solchen Erfolg, daß Spyri auf Bitten der kleinen Leser 1881 die Fortsetzung ‚Heidi kann brauchen, was es gelernt hat' nachfolgen ließ. Spyri versteht es, spannend und gewandt zu erzählen, ohne daß sie jedoch die raffinierten kompositorischen Mittel ihrer Zeitgenossen anwendete. Ihre ‚Geschichten für Kinder und auch für Solche, welche die Kinder lieb haben' sind von einem großen Optimismus getragen: alles geht immer gut aus. Selbst das Sterben wird positiv gesehen. Die lebendigen und humorvollen Schilderungen der Kinderwelt, die drolligen Einfälle und Streiche der Kinder, sowie die dem kindlichen Verständnis angepaßte Sprache und die einfachen Fabeln mögen viel zum Erfolg ihrer Bücher beigetragen haben. – Die Aufnahme des Zürcher Photographen Rudolf Ganz, der berühmte Zeitgenossen wie Wagner, C. F. Meyer, G. Keller porträtierte, zeigt Johanna Spyri mit der für sie typischen, ländlichen Frisur, die sie, mindestens seit ihrer Verheiratung, bis an ihr Lebensende trug. (Kunsthaus Zürich)

Rosmarie Zeller

Adalbert Stifter
1805–1868

Adalbert Stifter ist am 23. Oktober 1805 im südböhmischen Oberplan geboren. Benediktiner in Kremsmünster bilden ihn im Geiste der josephinischen Aufklärung. In Wien studiert er Rechts- und Naturwissenschaft. Jahrelang Hauslehrer der Wiener Oberschicht, heiratet er 1837 die Modistin Amalia Mohaupt. Nach anfänglicher Parteinahme für die sozialpolitischen Ziele des Jahres 1848 zieht er sich zur liberalen Mitte zurück. 1850 erhält er als Inspektor des Volksschulwesens in Linz eine Existenzgrundlage. Der unheilbar leberkranke Dichter starb kurz nach einem Selbstmordversuch am 28. Januar 1868. Die Wirksamkeit Stifters liegt in den Novellensammlungen ‚Studien', ‚Bunte Steine' und ‚Erzählungen', sowie den Romanen ‚Der Nachsommer', ‚Witiko' und dem Fragment ‚Die Mappe meines Urgroßvaters'. Das Gesamtschaffen prägt die Kindsheimat. In die unbeständige Natur der Böhmerwaldlandschaft ist der Mensch hineingestellt. Dieses Verhältnis ist verschlüsselt in einer dynamischen Wechselwirkung zwischen dem leidvollen Menschenschicksal und dem Walten der Natur. Besonders im Erzählwerk sucht der von der veräußerlichten Welt bedrängte Einzelmensch irgendein heiles, erlösendes Refugium. Neu in der Literatur ist Stifters naturwissenschaftlich zuständliche Wirklichkeitserfassung auch der subtilsten Phänomene. Als Maxime gilt ihm die ethische Kraft des „sanften Gesetzes" im Wechselverhältnis zwischen den Untiefen und lichten Höhen der Natur und jenen des Menschen. Die meisten Krisengeschichten Stifters sind mit Fragen der Erziehung, Liebe und Ehe verbunden und trotz ihrer Ungeborgenheitsangst auf Zuversicht und eine menschenfreudige Zukunft gerichtet. – Sittliche und ästhetische Erziehungsprobleme in einer bürgerlich gepflegten, den Wissenschaften förderlichen Umwelt sind Gegenstand des Romans ‚Der Nachsommer'. Aus Böhmens Frühzeit kommt der Stoff zum Entwicklungsroman ‚Witiko', in dem Stifter sein Bekenntnis zur Demokratie und einem auf Recht und Ordnung bestehenden Verkehr der Nationen ablegt. Die unvollendete ‚Mappe' sollte zu Stifters großem Roman vom sinnvollen Leben werden. Der Grundgedanke wieder der soziale und zivilisatorische Dienst, den der junge Landarzt in einer südböhmischen Waldgemeinde des 17. Jahrhunderts versieht. – M. M. Daffingers Aquarell (1846), wiedergegeben in einem Stahlstich von C. Mahlknecht, galt Stifter als „ähnlichstes unter meinen Bildnissen". (aus: Iris. Deutscher Almanach für 1848. Pest 1847)

Alois Hofmann

Theodor Storm
1817–1888

Theodor Storms Werk, etwa 200 Seiten Gedichte, 9 Märchen, knapp 50 Novellen, verkörpert uns heute 19. Jahrhundert schlechthin. In seiner Natur- und Liebeslyrik wird Atmosphärisch-Stimmungshaftes präzise formuliert, die Novellen konfigurieren in ständig neuen Variationen menschliche Beziehungen. Aber sein Thema ist nicht die Idylle oder gar die falsche Idylle, sondern ihre Bedrohtheit. – Auch sein Leben, das er gerne als Idylle stilisierte, war immer wieder Bedrohungen und Krisen ausgesetzt. In Husum wurde Theodor Storm am 14. September 1817 geboren. Nach Studienjahren in Kiel und Berlin ließ er sich wie sein Vater als Advokat in der Heimatstadt nieder, die Sprache, Stil, Thematik seiner Dichtung prägte, ohne daß der Begriff Heimatdichtung gerechtfertigt wäre. Die Ehe mit Constanze Esmarch (1846 geschlossen) wird schon im ersten Jahr gefährdet durch die Liebesbeziehung zu Dorothea Jensen, der seine bekanntesten Liebesgedichte gelten. Die Ereignisse von 1848, der deutsch-dänische Konflikt, zwingen den unpolitischen Storm zur Stellungnahme, 1851 bekennt er sich zur schleswig-holsteinischen Volksbewegung, verliert die Advokatur. Unter kümmerlichsten Bedingungen wird er in den preußischen Justizdienst übernommen, übersiedelt nach Potsdam, später nach Heiligenstadt. 1864 kehrt die Familie in die Heimat zurück. Reisen, aber mehr noch freundschaftliche Briefwechsel mit Mörike, Keller, Heyse, Liliencron, Erich Schmidt u. a. halten den Austausch mit der öffentlichen und literarischen Außenwelt aufrecht. 1852 war die erste Ausgabe der ‚Gedichte' erschienen. Erst nach der Rückkehr nach Husum läßt das Amt Storm genügend Zeit für die Poesie, die Novellen entstehen in rascher Folge (u. a. ‚Draußen im Heidedorf', ‚Pole Poppenspäler', ‚Aquis submersus', ‚Renate', ‚Der Herr Etatsrat', ‚Ein Doppelgänger'), und 1888 kurz vor dem Tod am 4. Juli wird auch ‚Der Schimmelreiter' beendet. Prosa wie Lyrik Storms sind gesättigt von einer schmerzlichen Grundstimmung der Sehnsucht nach der Vergangenheit und nach der Heimat. Zu seinen Lebzeiten fanden sie nur mäßige Anerkennung, erst seine Epigonen entliehen sich bei Storm „Bürgerwonne und Goldschnittgemüt", so formuliert Thomas Mann, und weiter: „ein vergeistigter Schifferkopf, (...) Wetterfältchen in den Winkeln der zugleich träumerischen und spähenden blauen Augen, die Bitternis hochbedürftiger und skrupulöser Anstrengung um den Mund (...)". – Photographie von Ström, nach 1864. (Theodor-Storm-Gesellschaft, Husum) *Hiltrud Häntzschel*

Moritz Graf Strachwitz
1822–1847

‚Götz von Berlichingen' war der Dichtername des Grafen Moritz Strachwitz in der Berliner Dichtervereinigung ‚Tunnel über der Spree'. Und der gerade zwanzigjährige dürfte diesen Namen nicht allein wegen seiner adeligen Herkunft erhalten haben, sondern vor allem seiner unkonventionellen, engagierten Art, seiner Vorliebe für altdeutsche, ritterliche Themen wegen. Am 13. März 1822 auf dem schlesischen Gut Peterwitz geboren, studierte er von 1842 bis 1844 in Breslau und Berlin Jura, begann mit der Referendarausbildung, lebte dann aber als Privatmann auf den Familiengütern. Den Empfindsamen, Phantasiebegabten brachte eine Skandinavienreise 1843 in enge Berührung mit der nordischen Sagenwelt, bedeutsam für seine Balladendichtung. Auf seiner längst geplanten Italienreise 1847 erkrankte er an Typhus und starb auf der Rückreise am 12. Dezember (nicht am 11., wie meist zu lesen ist) in Wien, wo er begraben wurde; später erfolgte die Überführung in die Familiengruft nach Peterwitz. – ‚Lieder eines Erwachenden' nannte Strachwitz 1842 seine erste Gedichtsammlung. Von einem politischen Erwachen in dieser vorrevolutionären Zeit ist er in den auf Formen und Inhalte der Romantik und Antike zurückgreifenden Gedichten allerdings weit entfernt. Politischer, kämpferischer – wenn auch nicht revolutionär-republikanisch wie sein Vorbild Heine oder seine Zeitgenossen Freiligrath und Herwegh – wurde er erst in seinen 1848 posthum herausgegebenen ‚Neuen Gedichten' mit Themen wie Klerikalismus, Rußland, Frankreich – „Vor dem Zaren / Der Tataren / Er Dich (Germania) möge treu bewahren, / (...) Daß sich Fürst und Volk vertraue, / Dir kein Pfaff' das Licht verbaue, / Daß kein Marat / Dich verführe (...)" – oder Kapitalismus – „Ob euch das Herz im Leibe bricht, ob gar ein Volk vergeht, / Das schiert die Krämerseele nicht, die Aktien ersteht". Sie sind Gegenstand seiner Angriffe für ein starkes geeintes Deutschland. In Erinnerung geblieben ist Strachwitz als Balladendichter. Hier fand er, zurückgreifend auf die englisch-schottische Ballade mit ihrer kurzen Chevy-Chase Strophe, seiner Vorliebe für Handlung und dramatische Bewegtheit entgegenkommend, zu eigenem Ton und wirkte unmittelbar auf den jungen Fontane, später auf Liliencron, Münchhausen, Agnes Miegel, Lulu von Strauß und Torney. Für den Tunnelgenossen Fontane zählte seine Ballade ‚Das Herz von Douglas' „zu dem Schönsten, was wir überhaupt haben". – Photographie aus Familienbesitz.

Oda Hay

David Friedrich Strauß
1808–1874

Durch sein erstes Werk ,Das Leben Jesu, kritisch bearbeitet' (1835/36) wurde der am 27. Januar 1808 in Ludwigsburg geborene David Friedrich Strauß über Nacht zum berühmt-berüchtigtsten theologischen Autor seiner Zeit. Auf der Basis einer an Hegel orientierten Religionsphilosophie kritisierte er mit bis dahin unerhörter Radikalität und Konsequenz weite Teile der neutestamentlichen Überlieferung als ,Mythen'. Er wurde daraufhin als Repetent am theologischen Stift in Tübingen abgesetzt und verlor jede Aussicht auf eine kirchliche Anstellung in Württemberg. Seine Berufung auf einen theologischen Lehrstuhl an der Universität Zürich löste derartige Proteste und Tumulte vor allem in traditionell kirchlichen Kreisen aus, daß das Zürcher Stadtparlament ihn schon sechs Wochen nach seiner Ernennung wieder pensionieren mußte (1839). In seiner ,Christlichen Glaubenslehre' (1840/41) nahm er in einer schneidend scharfen Abrechnung Abschied von der christlichen Theologie. Die Ehe mit der bekannten Opernsängerin Agnese Schebest scheiterte ebenso wie der Versuch, im Zuge der Revolution von 1848 als Abgeordneter in den Parlamenten in Frankfurt und Stuttgart Fuß zu fassen. Erst jetzt wurde er zum biographischen Schriftsteller, als der er unter seinen Zeitgenossen weithin den Ruf eines fähigen Stilisten genoß. Sorgfältig aus den Quellen erarbeitet erschienen nacheinander Biographien über Christian Friedrich Daniel Schubart (1849), seinen Jugendfreund Christoph Märklin (1851), Nicodemus Frischlin (1856), Ulrich von Hutten (1858), Hermann Samuel Reimarus (1862) und Voltaire (1870). 30 Jahre nach seinem revolutionären Erstling kehrte er noch einmal zur Theologie zurück und propagierte im ,Leben Jesu für das deutsche Volk bearbeitet' (1864) die Fortbildung der christlichen Religion zur nachchristlichen Humanitätsreligion. Das letzte Werk, ,Der alte und der neue Glaube' (1872), gab die Explikation dieses weltanschaulichen Programms. Am 8. Februar 1874 starb Strauß in seiner Heimatstadt Ludwigsburg. Das ,Leben Jesu' von 1835/36 gilt heute als bahnbrechendes Standardwerk der neueren Theologiegeschichte. – Carte de visite – Photographie aus dem Atelier Brandseph in Stuttgart, 1865. (Schiller-Nationalmuseum Marbach a. N.)

Jörg F. Sandberger

Heinrich von Treitschke
1834–1896

Nur wenige deutsche Historiker des 19. Jahrhunderts übten mit ihren Vorlesungen eine so große Anziehungskraft aus und wurden soviel gelesen wie Heinrich von Treitschke (geboren am 15. September 1834 als Sohn eines geadelten sächsischen Generalleutenants, gestorben am 28. April 1896 in Berlin). Der später Vielzitierte studierte Staatswissenschaften und Nationalökonomie, Staats- und Kulturgeschichte. Er lehnte stets das Ideal wissenschaftlicher Objektivität ab und verstand sich niemals nur als Historiker. Weniger Hochschullehrer denn politischer Prediger, lehrte er „mit stets wachsendem Beifall" immer Geschichte und Politik zugleich: seit 1863 als Professor der Staatswissenschaften in Freiburg, in Kiel und Heidelberg und seit 1871 auf dem ehemals Rankeschen Lehrstuhl in Berlin. Erstlingswerke aus Göttinger Tagen (‚Vaterländische Gedichte' und seine Gedichtsammlung ‚Studien') mögen ihn zuvor als Mitarbeiter der 1858 erschienenen ‚Preußischen Jahrbücher' empfohlen haben, deren Redakteur er 1866 wurde. Treitschkes publizistische Tätigkeit gliedert man gern in zwei Schaffensperioden: fielen in die späten fünfziger und die sechziger Jahre seine großen, literarisch bedeutsamen Aufsätze und Essays – einem gemäßigt preußischen Liberalismus verpflichtet und vor allem in den ‚Jahrbüchern' abgedruckt –, so wandte er sich seit den siebziger Jahren, besonders in der fünfbändigen ‚Deutschen Geschichte im 19. Jahrhundert', zunehmend der erzählenden Methode zu, die er einst an Ranke kritisiert hatte. Geschichtsschreibung war für ihn, den Schwerhörigen, immer Instrument eines ausgeprägt nationalistischen Engagements, eng verbunden mit Bismarckscher Sozialismusfeindlichkeit und mit einem den Zeitgenossen vertrauten, aggressiv vorgetragenen Antisemitismus. Seine beredte Befürwortung einer militanten Weltpolitik fand offene Ohren. Er erwies sich als packender Erzähler und als journalistische Begabung. Sein rauschebärtiger Haß gegen Sozialisten und Sozialreformer, gegen Engländer, Farbige und Juden, denen er – auf Heine und Börne gemünzt – die „Besudelung alles deutschen Wesens" und die Verantwortung für den „sittlichen und geistigen Verfall" vorwarf, erschien unangreifbar durch wissenschaftliche Respektabilität. Was wunder, daß Treitschke in Weimar und im NS-Staat als akademischer Zeuge und Propagandist zugleich zitiert und bemüht wurde, um den virulenten Machtrausch zu rechtfertigen. – Photographie um 1870. (Archiv für Kunst und Geschichte Berlin) *Jürgen W. Schaefer*

Friedrich Theodor Vischer
1807–1887

Friedrich Theodor Vischer, geboren am 30. Juni 1807 in Ludwigsburg (Schwaben), gestorben am 14. September 1887 in Gmunden am Traunsee, ist einer der bedeutenden protestantischen Liberalen, die die zeitgenössische geistige Problematik reflektieren und zu für das 19. Jahrhundert typischen Lösungsversuchen gelangen. – Nach dem frühen Tod des Vaters (1814) übersiedelt die Familie nach Stuttgart; Vischer besucht dort das Gymnasium. Im Kloster Blaubeuren und im Tübinger Stift erhält er, zusammen mit dem langjährigen Freund David Friedrich Strauß, die philologisch-philosophische Ausbildung. Die Vikariatszeit absolviert er in Maulbronn. 1836 habilitiert er und wird Privatdozent für Ästhetik und Literatur in Tübingen, 1844 Ordinarius. Im gleichen Jahr heiratet er die Österreicherin Thekla Heinzel. 1848 als liberaler Republikaner zum Abgeordneten der Paulskirche gewählt, kehrt Vischer 1849 enttäuscht nach Tübingen zurück. Er geht aus privaten und politischen Gründen 1855 nach Zürich; 1866 kehrt er jedoch wieder nach Tübingen und Stuttgart zurück. Die Feier des 80. Geburtstages wird zu einer Dokumentation seiner Wirkung in ganz Deutschland. – Der junge Vischer beteiligt sich an der linkshegelianischen Religionskritik und Publizistik (‚Kritische Gänge', 1844ff.). Angesichts der Entwicklungen der Natur- und der historisch-philologischen Wissenschaften ist das Ende der historischen Religion für ihn (wie für Strauß) unausweichlich. Zum Hauptwerk wird die mehrbändige ‚Ästhetik' (1846–1857), die bedeutendste idealistische Ästhetik des 19. Jahrhunderts nach Hegel. Im Zentrum steht darin die Frage, ob die Kunst und das Schöne die Vermittlung des zerbrochenen Ganzen leisten könnten. Die verschiedenen Versuche einer Antwort scheitern: für Vischer kann die Kunst weder als Geschichte noch als absolute Idee, noch als Symbol die verlorene Totalität vergegenwärtigen. Im Aufweis dieser Problemlage, bei gleichzeitigem Festhalten an einer nicht mehr in ein System gezwungenen kritischen Vernunft, liegt die Bedeutung Vischers. Seine schriftstellerischen Werke: die Parodie ‚Faust, der Tragödie 3. Teil' (1862), die autobiographische Erzählung ‚Auch Einer' (1879, 2 Bände), die Gedichtsammlung ‚Lyrische Gänge' (1882) sind dagegen heute weithin vergessen. – Zur Photographie Vischers (Aufnahme H. Brandseph) äußert sich der einzige Sohn Robert Vischer 1897: „ein gut getroffenes Bildnis meines Vaters von 1886". (Das Schöne und die Kunst. Hrsg. v. R. Vischer, Stuttgart, Berlin 1907) *Norbert Rath*

Richard Wagner
1813–1883

„Leidend und groß, wie das Jahrhundert, dessen vollkommener Ausdruck sie ist": so stand die „geistige Gestalt" Richard Wagners vor Thomas Mann. Größe und Leiden des Meisters und seines Jahrhunderts aber offenbaren sich nicht eben leichthin, sie schließen vielerlei Wesenszüge ein, die einander aufs heftigste widerstreiten und die, wenn überhaupt, ihre Aufhebung nur durch das Werk erfahren. Der kleinwüchsige Mann aus Sachsen, er hat zwar sein Jahrhundert nicht aus den Angeln gehoben, aber er hat dessen tragischer Substanz gewaltigsten Ausdruck verliehen und es in Form des ‚Musikdramas' dem 20. Jahrhundert als ein noch nicht bewältigtes Vermächtnis überantwortet. Es geht um die uralte und immer neue Geschichte von der Schuld des handelnden Menschen, der, weil handelnd, Leiden zufügen und Leiden ertragen muß, und dessen Not die der Erlösung ist. – Das Genie des am 22. Mai 1813 zu Leipzig Geborenen ist nicht von Mozartischer Art, es wächst langsam, reift spät und ist Ursache und Frucht qualvollen Mühens, – indes hat es oft zwar am Gelingen, nie aber an seiner Berufung gezweifelt. Hungerjahre in Paris (1839–1842) wirken folgenreich nach und deuten die Herkunft so manchen späteren Ressentiments, mancher wütenden Aversion an. Mit dem ‚Rienzi' (1842) beginnt die Kette der aufregenden Erfolge des nunmehr berühmt werdenden Mannes, der 1849 als Teilnehmer der Revolution aus Dresden fliehen muß. In der Schweiz entstehen seine Nibelungen-Tragödie und, von der Liebe zu Mathilde Wesendonck und der Philosophie Schopenhauers bewegt, der ‚Tristan'; hier löst er sich von seiner ersten Frau Minna geb. Planer, trifft er die Tochter seines großen Freundes Franz Liszt: Cosima, die 1870, von Hans v. Bülow geschieden, Wagners Frau und die bewahrende Kraft seines Wesens und Werkes wird. Zuvor aber hatte es der Rettung des vom Ruin bedrohten Flüchtlings durch den kranken und edlen Geist des Königs Ludwig II. von Bayern bedurft, der seinem angebeteten Idol die Mittel gab, den weltumspannenden Bau zu vollenden: den ‚Ring' und seine Feierstätte, das Festspielhaus in Bayreuth. Ein Jahr vor seinem Tode – Wagner starb am 13. Februar 1883 in Venedig, das Herz war lange schon krank gewesen – hat Renoir ihn am 15. Januar 1882 in Palermo gemalt. Nicht den seidengefütterten und pelzverbrämten Meister, nicht den Gott der inszenierten Pose, sondern einen alten schon entrückten Mann, der soeben seine letzte Arbeit abgeschlossen hat, den ‚Parsifal'. (Louvre, Jeu de Paume; (c) Bild-Kunst, Bonn 1980) *Peter Wapnewski*

Friedrich Wilhelm Waiblinger
1804–1830

Als Sechzehnjähriger schreibt Friedrich Wilhelm Waiblinger (geboren am 21. November 1804 in Heilbronn) in sein Tagebuch: „Man sollte Goethen aus der Welt schaffen. Wenn ich nicht zu eigenliebig wäre und die Überzeugung mich nicht festhielte, ich könnte einmal etwas leisten, so würd ich's tun. Es wäre dann die Tat einer großartigen Verzweiflung". Sein kurzes Leben ist geprägt von diesen früh erkannten Zügen: stärker noch als das beachtliche dichterische Talent ist die Selbsteinschätzung dieses Talents, schier grenzenlos die Eigenliebe, wichtigste Fähigkeit die Einbildungskraft, jeglicher Druck von außen unerträglich. Die „großartige Verzeiflung" ist die in Mode gekommene Allüre des Byronismus, die Waiblinger in Deutschland einbürgert. – Die Jahre am Oberen Gymnasium in Stuttgart (1820–1822) führen den jungen Poeten mit Gustav Schwab, Johann Christoph Haug, Friedrich Matthisson, den Brüdern Boisserée zusammen, Kritik und Förderung bringen erste Erfolge. Er arbeitet an Gedichten (‚Lieder der Griechen', 1823), an einem Drama (‚Liebe und Haß', 1822), an einem Hölderlins ‚Hyperion' adaptierenden Roman (‚Phaeton', 1823). Der Wechsel ins Tübinger Stift ermöglicht eine fruchtbare Freundschaft mit dem gleichaltrigen Mörike und die Begegnung mit dem kranken Hölderlin. Die 1827 in Italien aus der Erinnerung aufgezeichnete Skizze über ‚Hölderlins Leben, Dichtung und Wahnsinn' ist ein – zwar im Detail vielfach unrichtiges, so doch noch heute wichtiges – Dokument über Hölderlins Krankheitsjahre. In Tübingen entsteht auch die reizvolle Literatursatire ‚Drei Tage in der Unterwelt' (1826), eine scharfe Abrechnung mit Romantik und Trivialliteratur. Im selben Jahr läßt sich Waiblinger nach der Relegierung vom Tübinger Stift in Rom nieder, bereist von dort Neapel, Unteritalien, Sizilien und die Inseln. Dem Klima nicht gewachsen, meist krank und mittellos, mit der deutschen Künstlerkolonie überworfen, preist er dennoch in Gedichten, in Briefen und Reiseberichten, in den ‚Taschenbüchern aus Italien und Griechenland auf das Jahr 1829 und 1830' das abenteuerliche und süße Leben unter der ewigen Sonne Italiens, bis er am 17. Januar 1830 stirbt. Moralisierende Aburteilung als ausschweifender Exzentriker einerseits und eine Überschätzung als frühvollendetes Genie andererseits haben sein Bild von Anfang an verfälscht. – Das Selbstbildnis aus den Tübinger Jahren läßt auch ein rasches zeichnerisches Talent erkennen. (Schiller-Nationalmuseum Marbach a. N.)

Hiltrud Häntzschel

Georg Weerth
1822–1856

Georg Weerth wurde in Detmold, dem Geburtsort auch von Grabbe und Freiligrath, am 17. Februar 1822 geboren. Seine gutbürgerliche Herkunft (Sohn eines Generalsuperintendenten) teilt er mit seinen späteren Freunden Engels und Marx. Sie hat ihm den Blick auf die sozialen Konflikte der Biedermeierzeit nicht verstellt. Entscheidend für seine Wandlung vom liberalen Demokraten zum Sozialisten wurde ein Englandaufenthalt. Zum Kaufmann ausgebildet (Elberfeld, Köln, Bonn), ging er als Kontorist einer Textilfirma 1843 (bis 1846) nach Bradford, wo er 1844 Engels kennenlernte. Der Einblick in die Lebensbedingungen der Arbeiter – sie waren für ihn überwindbare Begleiterscheinungen der sonst positiv bewerteten industriellen Revolution – brachte ihn zu der Überzeugung, daß eine Revolution unvermeidlich sei, die den „Arbeiter ans Ruder bringt". In England entstanden die von Heines Lyrik beeinflußten, von einem revolutionären Geschichtsbewußtsein getragenen ‚Lieder aus Lancashire'. Seine Kenntnisse der wirtschaftlichen und gesellschaftlichen Situation verarbeitete er in dem ‚Fragment eines Romans' (erst 1956 veröffentlicht), in dem zum ersten Mal ein Arbeiter die Zentralfigur bildet. Bekannt wurde Weerth vor allem durch seine „so lustigen und schneidigen Feuilletons" (Engels) in der von Marx und Engels redigierten ‚Neuen Rheinischen Zeitung'. Sie machen fast die Hälfte seines literarischen Œuvres aus – Aufsätze, Skizzen, Gedichte, die mit den Mitteln der Satire, Parodie und Groteske die politischen Machtverhältnisse aufs Korn nehmen. Dort publizierte er auch die ‚Skizzen aus einem deutschen Handelsleben' und ‚Leben und Taten des berühmten Ritters Schnapphahnski' (1849 als Weerths einzige Buchveröffentlichung), ein satirischer Roman auf den reaktionären Fürsten Lichnowsky. Das Scheitern der Revolution nahm ihm den Mut zum Schreiben. „Wenn das Weltgeschehen den Leuten die Hälse bricht, da ist die Feder überflüssig". In den Augen von Engels verbürgerlichte er. Er starb am 30. Juli 1856, wenige Monate nachdem er Europa für immer den Rücken gekehrt hatte, in Havanna am Gelbfieber. Vor allem durch die politischen Folgen der gescheiterten Revolution wurde Weerth als „der erste und bedeutendste Dichter des deutschen Proletariats" (Engels) erst von der Literaturwissenschaft der DDR wiederentdeckt. – Die Daguerreotypie, entstanden um 1851/52, scheint das einzige erhaltene Porträt Weerths zu sein. (Lippische Landesbibliothek Detmold)

Ernst Weber

Wilhelm Weitling
1808–1871

Zu jenen großen Persönlichkeiten der Arbeiterbewegung, die Handwerker waren, gehört der Schneidergeselle, Rebell und erste deutsche Theoretiker des Kommunismus Wilhelm Weitling (geboren in Magdeburg am 5. Oktober 1808, verstorben in New York am 25. Januar 1871). Über Wien 1835 nach Paris gewandert, schloß er sich dort der hauptsächlich von Handwerkern gebildeten Geheimorganisation ,Bund der Gerechten' an. Der Autodidakt wurde zu einem geistigen Führer. Seine Visionen und Lehre hatten Wurzeln u. a. in den Gütergemeinschafts-Ideen Baboeufs und im „Kommunistischen" des Urchristentums. Manche Gedanken, z. B. über Bildung für alle, erscheinen schon recht modern. Weitlings Schriften, an ihrer Spitze ,Die Menschheit, wie sie ist und sein sollte' (1838/39) und ,Garantien der Harmonie und Freiheit' (1842), wirkten über den ,Bund der Gerechten' hinaus. Einiges beeindruckte auch Karl Marx, bevor diesen endgültig das Gefühlslastige, Chiliastische, wissenschaftlich Schwächliche abstießen. Die beispielsweise 1846 in einer Brüsseler Diskussion mit Weitling bewiesene Überlegenheit von Marx strahlte für den ,Bund der Gerechten' bald deutlicher: Marx und Engels traten ihm bei und formten ihn zum ,Bund der Kommunisten', während Weitling in Amerika (dort ab Anfang 1847 mit Ausnahme einer enttäuschenden Europareise anläßlich der 1848er Unruhen; in Berlin Herausgabe des ,Urwähler') neue Triumphe erhoffte. Einer Spätblüte seiner sozialistischen Aktivität, auch als Organisator, folgten Resignation und Flucht ins Private. Er heiratete und arbeitete als Registrator; er wissenschaftlerte (,Theorie des Weltsystems'); er wurde bekannt, aber nicht reich, als Erfinder einer Knopfloch- und Stickmaschine. – Der Politiker und sozialistische Schriftsteller Weitling ward nicht ganz vergessen. Doch seine glücklichste Zeit endete schon mit der Zürcher Inhaftierung 1843 (,Kerkerpoesien', 1844). Sie endete nach zwei erfolgreichen Jahren in der Schweiz, in die Weitling für den ,Bund der Gerechten' kam. Hier gab er 1841 die Wochenschrift ,Hülferuf der deutschen Jugend' und 1842/43 deren Fortsetzung ,Die junge Generation' heraus. Hier veröffentlichte er 1842 die ,Garantien', hier schrieb er sein ,Evangelium des armen Sünders': Ein Kämpfer gegen die „modernen Tyrannen", für eine erträumte klassenlose Gesellschaft, für ein echteres Christentum. – Undatierte Photographie. (Internationaal Instituut vor Sociale Geschiedenis, Amsterdam) *Herbert H. Wagner*

Ottilie Wildermuth
1817–1877

Unter den 83 Schriftstellern in der von W. Linderschmit gemalten ‚Ruhmeshalle der deutschen Literatur, 1841–1865' stehen auch 4 Damen – im Hintergrund, darunter Ottilie Wildermuth. Als älteste Tochter des Juristen Rooschütz am 22. Februar 1817 in Rottenburg a. N. geboren, verbrachte sie ihre Jugend in Schillers Geburtsstadt Marbach. 1843 heiratete die Honoratiorentochter den Tübinger Gymnasialprofessor Wildermuth. Drei Kinder brachte sie zur Welt und schrieb nebenher für die Frauen der gebildeten Stände seit 1846 und zunächst anonym ‚Schwäbische Bilder und Geschichten', Erzählungen, die ihr Vertrautes ohne erzieherische Penetranz, oft humorvoll wiedergeben. Die Verleger rechneten in dieser Zeit bereits mit der bürgerlichen Leserin, Wildermuths Kollegen sahen den Erfolg weniger gern. Kerners Verse: „Rupfe und brate die Gans nur fein, / Aber die Feder der Schwinge / Bringe / Dem Manne herein!" erwiderte sie 1853: „Ja, weil in Haus- und Kindersorgen / Ich mich getummelt spät und früh, / So fürcht ich fast, die Bilder athmen / Ein bischen Küchenpoesie." Familienblätter, Cottas ‚Morgenblatt', die ‚Frauenzeitung', der ‚Jugendgarten' machten in Fortsetzungsgeschichten oft häusliche Freuden und Sorgen zu einem neuen literarischen Thema, bestätigten biedermeierlich die Emanzipation des Bürgertums, nicht die der Frau. Wildermuths Beobachtungen, Geschichten sind nicht aufklärerisch oder gar politisch, sondern ganz und gar aus ihrer eigenen Welt genommen, an einer Sentenz aufgehängt, wahr, in der zahlreichen schwäbischen Verwandtschaft erlebt und gehört, sind Erzählungen einer kleinen Welt, die die christliche Ordnung als Rahmen verstand und darin Leid und Freude, Skurriles und Komisches in eine gebührende Ordnung brachte. Einmal zitierte sie Rahel von Varnhagens Satz: „In jeder Stube ein Roman", Tradition also doch, in ihren Worten: „Geist (...) bereit, sich, wenn nicht auf die Höhen des Parnasses zu schwingen, so doch in die Tiefen des Menschenherzens und Lebens zu tauchen." Unerschöpflich wie die Themen ihre Produktion, ihr Talent und ihre Phantasie, Wirklichkeit zu erzählen. 16 Bände sammelte sie bis zu ihrem Tode am 12. Juli 1877, bis 1900 wurden 22 Bände ‚Jugendschriften' zusammengestellt und gerne gelesen. – Beispielhaft für die an der historistischen Malerei orientierte gehobene Bildnisphotographie um 1860 ist die Aufnahme von C. Pfann mit Säule, gotischer Balustrade, altdeutschem Stuhl, Weinlaub und Landschaftshintergrund. (Schiller-Nationalmuseum Marbach a. N.) *Gerhard Hay*

Julius Wolff
1834–1910

Als Julius Wolff am 3. Juni 1910 in Berlin starb, waren seine Bücher in 730000 Exemplaren verkauft worden. Der Herausgeber seiner ,Sämtlichen Werke' in 18 Bänden (1912/13) schrieb einleitend: ,,Erhobenen Hauptes und geraden Sinnes ging er Pflicht und Arbeit nach – und seine Werke werden leben, solange die Welt noch Empfinden hat für Tatendrang und heroisches Wollen, für Sitte und weibliche Anmut. Er war der Dichter der Jugend, und wie Frühlingssturm hat seine Harfe geklungen. Nun ist alles dahin!" Am 16. September 1834 in Quedlinburg geboren, studierte der Fabrikantensohn Wolff in Berlin Philosophie und Wirtschaft. Nach Auslandsaufenthalten übernahm er die Tuchfabrik seines Vaters. 1869 tauschte er diese ungeliebte Tätigkeit mit der des Verlegers der ,Harz-Zeitung' ein. Nach Teilnahme am Frankreich-Feldzug als Landwehroffizier leistete er sich den Status eines freien Schriftstellers in der Hauptstadt des ,Zweiten' Reiches, hochgeehrt für seine Dichtungen. Sie sind typisch für die zweite Hälfte des 19. Jahrhunderts, allzu typisch für dieses apolitische Bürgertum. Die gescheiterten Revolutionen hatten seine Tatkraft kapitalistisch, seinen Geist ,romantisch' werden lassen. Deutsche Vergangenheit, Wiedergeburt des Mittelalters inmitten politisch-industrieller Revolutionen – Flucht vor der Gegenwart, stupider Nationalismus nicht nur im Deutschen Reich sind Ursachen dieser Literatur, die vergessen ist. Wolffs Vorbilder sind Scheffels Verserzählungen, Webers falsche Epen, Dahns historische Romane. Am bekanntesten wurden ,Till Eulenspiegel' (1874), ,Der Rattenfänger von Hameln' (1876), ,Der Wilde Jäger' (1877), Nachahmung von Literatur, die Jahrhunderte zurücklag, in verkitschten Versen wie denen aus ,Renata' (1891): ,,Hoch und stolz emporgerichtet / Stand die Jungfrau, heldenmütig / Eine blonde, deutsche Muse, / Die entschlossen und begeistert / Für ihr künstlerisches Schaffen / Hier mit Leib und Leben eintrat". Für seine epigonale Lyrik und romantisierenden Epen im Gewande der ,Aventiure' und im Habitus eines trinkfreudigen ,,Gaudeamus' prägte Heyse spöttisch den Namen ,,Butzenscheiben-" und, der Aufmachung der Bücher wegen, ,,Goldschnittlyrik", zeitgenössische Distanz zu allzu einfach ,Heilem' der Vergangenheit. – Stich von A. Weger nach einer Photographie. (Bildarchiv der Österreichischen Nationalbibliothek Wien)

Gerhard Hay

25. 8. 1786 – 29. 2. 1868 Ludwig I., König von Bayern
3. 3. 1793 – 26. 5. 1864 Charles Sealsfield
21. 12. 1795 – 23. 5. 1886 Leopold von Ranke
10. 1. 1797 – 24. 5. 1848 Annette von Droste-Hülshoff
4. 10. 1797 – 22. 10. 1854 Jeremias Gotthelf
13. 12. 1797 – 17. 2. 1856 Heinrich Heine
2. 4. 1798 – 19. 1. 1874 August Heinrich Hoffmann von Fallersleben
5. 5. 1798 – 9. 9. 1881 Christian Friedrich Scherenberg
29. 6. 1798 – 16. 12. 1871 Willibald Alexis
11. 12. 1801 – 12. 9. 1836 Christian Dietrich Grabbe
28. 7. 1804 – 13. 9. 1872 Ludwig Feuerbach
8. 9. 1804 – 4. 6. 1875 Eduard Mörike
21. 11. 1804 – 17. 1. 1830 Wilhelm Waiblinger
20. 5. 1805 – 18. 3. 1871 Georg Gottfried Gervinus
23. 10. 1805 – 28. 1. 1868 Adalbert Stifter
11. 4. 1806 – 12. 9. 1876 Anastasius Grün
18. 9. 1806 – 1. 8. 1884 Heinrich Laube
7. 3. 1807 – 7. 5. 1876 Franz Graf von Pocci
30. 6. 1807 – 14. 9. 1887 Friedrich Theodor Vischer
27. 1. 1808 – 8. 2. 1874 David Friedrich Strauß
19. 9. 1808 – 30. 11. 1861 Theodor Mundt
5. 10. 1808 – 25. 1. 1871 Wilhelm Weitling
13. 6. 1809 – 20. 9. 1894 Heinrich Hoffmann
17. 6. 1810 – 18. 3. 1876 Ferdinand Freiligrath
7. 11. 1810 – 12. 7. 1874 Fritz Reuter
17. 3. 1811 – 16. 12. 1878 Karl Gutzkow
28. 2. 1812 – 8. 2. 1882 Berthold Auerbach
12. 2. 1813 – 25. 2. 1865 Otto Ludwig
18. 3. 1813 – 13. 12. 1863 Friedrich Hebbel
22. 5. 1813 – 13. 2. 1883 Richard Wagner
13. 9. 1813 – 10. 10. 1873 Hermann Kurz
17. 10. 1813 – 19. 2. 1837 Georg Büchner
30. 6. 1814 – 15. 5. 1881 Franz Dingelstedt
6. 9. 1814 – 31. 8. 1883 Levin Schücking
13. 1. 1815 – 19. 4. 1843 Ernst Elias Niebergall
1. 4. 1815 – 30. 7. 1898 Otto von Bismarck

2. 8. 1815 – 14. 4. 1894 Adolf Friedrich Graf von Schack
11. 8. 1815 – 13. 11. 1882 Gottfried Kinkel
17. 10. 1815 – 6. 4. 1884 Emanuel Geibel
30. 5. 1816 – 21. 7. 1872 Robert Prutz
13. 7. 1816 – 30. 4. 1895 Gustav Freytag
28. 10. 1816 – 26. 4. 1903 Malwida von Meysenbug
1. 11. 1816 – 6. 7. 1877 Friedrich Wilhelm Hackländer
22. 2. 1817 – 12. 7. 1877 Ottilie Wildermuth
31. 5. 1817 – 7. 4. 1875 Georg Herwegh
27. 6. 1817 – 25. 9. 1893 Louise von François
14. 9. 1817 – 4. 7. 1888 Theodor Storm
30. 11. 1817 – 1. 11. 1903 Theodor Mommsen
7. 3. 1818 – 27. 3. 1886 Julian Schmidt
5. 5. 1818 – 14. 3. 1883 Karl Marx
25. 5. 1818 – 8. 8. 1897 Jacob Burckhardt
8. 2. 1819 – 25. 5. 1904 Wilhelm Jordan
22. 4. 1819 – 18. 4. 1892 Friedrich Bodenstedt
24. 4. 1819 – 1. 6. 1899 Klaus Groth
19. 7. 1819 – 15. 7. 1890 Gottfried Keller
30. 12. 1819 – 20. 9. 1898 Theodor Fontane
22. 1. 1820 – 18. 6. 1905 Hermann Lingg
28. 11. 1820 – 5. 8. 1895 Friedrich Engels
17. 2. 1822 – 30. 7. 1856 Georg Weerth
13. 3. 1822 – 11. 12. 1847 Moritz Graf Strachwitz
13. 1. 1823 – 15. 5. 1899 Elise Polko
6. 5. 1823 – 16. 11. 1897 Wilhelm Heinrich Riehl
28. 6. 1823 – 6. 7. 1891 Oskar von Redwitz
19. 4. 1824 – 18. 3. 1896 Otto Roquette
11. 10. 1825 – 28. 11. 1898 Conrad Ferdinand Meyer
25. 12. 1825 – 22. 6. 1887 E. Marlitt
16. 2. 1826 – 9. 4. 1886 Joseph Victor von Scheffel
12. 6. 1827 – 7. 7. 1901 Johanna Spyri
9. 8. 1827 – 1. 7. 1879 Heinrich Leuthold
6. 1. 1828 – 16. 6. 1901 Herman Grimm
25. 4. 1828 – 9. 5. 1902 Julius Grosse
24. 2. 1829 – 25. 2. 1911 Friedrich Spielhagen
15. 3. 1830 – 2. 4. 1914 Paul Heyse
24. 3. 1830 – 13. 7. 1889 Robert Hamerling
13. 9. 1830 – 12. 3. 1916 Marie von Ebner-Eschenbach
8. 9. 1831 – 15. 11. 1910 Wilhelm Raabe

15. 4. 1832 – 9. 1. 1908 Wilhelm Busch
30. 9. 1833 – 24. 7. 1906 Ferdinand von Saar
19. 11. 1833 – 1. 10. 1911 Wilhelm Dilthey
9. 2. 1834 – 3. 1. 1912 Felix Dahn
15. 9. 1834 – 28. 4. 1896 Heinrich von Treitschke
16. 9. 1834 – 3. 6. 1910 Julius Wolff
24. 9. 1835 – 7. 1. 1902 Wilhelm Hertz
15. 2. 1837 – 24. 11. 1911 Wilhelm Jensen
29. 11. 1839 – 10. 12. 1889 Ludwig Anzengruber
26. 4. 1841 – 6. 8. 1886 Wilhelm Scherer
25. 5. 1842 – 30. 3. 1912 Karl May
31. 7. 1843 – 26. 6. 1918 Peter Rosegger
15. 10. 1844 – 25. 8. 1900 Friedrich Nietzsche

Literaturhinweise

Hans Wolfgang Singer, Allgemeiner Bildniskatalog. Und: Neuer Bildniskatalog (19 Teile). Leipzig 1930–38. Neudr. 1967.

Hans Dietrich von Diepenbroick-Grüter, Allgemeiner Porträt-Katalog. Hamburg 1931–33. Neudr. 1967.

Sigfrid Henry Steinberg, Bibliographie zur Geschichte des deutschen Porträts. Hamburg 1934.

Dichter-Porträts in Photographien des 19. Jahrhunderts. Mit einem Vorwort von Josef Eberle. Marbach a. N. 1976.

Gertrud Fiege in Zusammenarbeit mit Albrecht Bergold, Bildnisse. Verzeichnis der Plastiken, Gemälde, Handzeichnungen, Scherenschnitte im Schiller-Nationalmuseum und Deutschen Literaturarchiv Marbach. Marbach a. N. 1978.

Heinrich Gross, Deutsche Dichterinnen und Schriftstellerinnen in Wort und Bild. 3 Bde. Berlin 1885.

Josef Kriehuber, Katalog seiner Porträtlithographien. Hrsg. von W. v. Wurzbach. 3 Bde. Wien 1955–57.

Carl Werckmeister, Das 19. Jahrhundert in Bildnissen. 5 Bde. Berlin 1901–1905.

Gero von Wilpert, Deutsche Literatur in Bildern. Stuttgart 1957.

Ernst Buschor, Das Porträt. Bildniswege und Bildnisstufen in fünf Jahrtausenden. München 1960.

Max Osborn, Porträtmalerei. In: Neue Deutsche Rundschau 10 (1899) 974–994.

Wilhelm Waetzold, Die Kunst des Porträts. Leipzig 1908.

Emil Waldmann, Das Bildnis im 19. Jahrhundert. Berlin 1921.

Walter Benjamin, Das Kunstwerk im Zeitalter seiner technischen Reproduzierbarkeit. 1936. In: W. B., Lesezeichen. Schriften zur deutschsprachigen Literatur. Leipzig 1970.

Gisèle Freund, Photographie und Gesellschaft. München 1974.

Siegfried Kracauer, Die Photographie. 1927. In: S. K., Das Ornament der Masse. Essays. Frankfurt 1963. S. 21–39.

Ursula Peters, Stilgeschichte der Fotographie in Deutschland 1839–1900. Köln 1979.

Siegfried Wichmann, Franz von Lenbach und seine Zeit. Köln 1973.

Verzeichnis der Mitarbeiter

Herbert Anton, Dr. phil., geb. 1936, Professor für Neuere Germanistik an der Universität Düsseldorf; S. 93.

Hans-Peter Bayerdörfer, Dr. phil., geb. 1938, Professor für Neuere deutsche Literaturgeschichte an der RWTH Aachen; S. 35.

Eduard Beutner, Dr. phil., Mag. phil., geb. 1949, Assistent am Institut für Germanistik der Universität Salzburg; S. 17, 147.

Rüdiger Bolz, M. A., geb. 1953, Doktorand in München; S. 31, 83, 151.

Eva Maria Brockhoff, M. A., geb. 1955, Doktorandin in München; S. 139, 145.

Jürgen Dittmar, Dr. phil., geb. 1936, wiss. Angestellter des Deutschen Volksliedarchivs Freiburg i. Br.; S. 85.

Wolfgang Frühwald, Dr. phil., geb. 1935, Professor für Neuere deutsche Literaturgeschichte an der Universität München; S. 105.

Peter Ganz, Dr. phil., geb. 1920, Professor für Germanistik an der Universität Oxford; S. 27.

Walter Gebhard, Dr. phil., geb. 1936, Professor für Deutschdidaktik und Neuere deutsche Literaturwissenschaft an der Universität Bayreuth; S. 127.

Herbert Göpfert, Dr. phil., geb. 1907, Honorarprofessor am Institut für deutsche Philologie der Universität München; S. 91.

Günter Häntzschel, Dr. phil., geb. 1939, Professor für Neuere deutsche Literaturgeschichte an der Universität München; S. 23, 53, 63, 95, 101, 103, 131, 153.

Hiltrud Häntzschel, Dr. phil., geb. 1939, Diplom-Bibliothekarin, Studium der Germanistik und Philosophie, lebt in München; S. 117, 171, 183.

Werner Hahl, Dr. phil., geb. 1940, wiss. Angestellter am Institut für deutsche Philologie der Universität München; S. 19, 51, 57, 67, 73.

Volkmar Hansen, Dr. phil., geb. 1945, Lehrbeauftragter der Universität Düsseldorf, Mitarbeiter an der Düsseldorfer Heine-Ausgabe; S. 69, 99, 123.

Winfried Hartkopf, Dr. phil., geb. 1936, Akademischer Oberrat für Neuere Germanistik an der Universität Düsseldorf; S. 49.

Gerhard Hay, Dr. phil., geb. 1939, Akademischer Oberrat am Institut für deutsche Philologie der Universität München; S. 79, 97, 135, 189, 191.

Oda Hay, geb. 1937, Oberstudienrätin in München; S. 173.

Alois Hofmann, Dr. phil., Dr. Sc., geb. 1910, vormals Professor an der Tschechoslowakischen Akademie der Wissenschaften in Prag, seit 1975 freischaffender Wissenschaftler; S. 169.

Bernd Hüppauf, Dr. phil., geb. 1942, Professor für deutsche Sprache und Literatur an der University of New South Wales, Kensington (Sydney); S. 133.

Hans-Wolf Jäger, Dr. phil., geb. 1936, Professor für deutsche Literaturgeschichte an der Universität Bremen; S. 87, 129.

Uta Kreuter, M. A., geb. 1954, wiss. Mitarbeiterin in der Deutschen Copernicus-Forschungsstelle in München; S. 165.

Helmut Kreuzer, Dr. phil., geb. 1927, Professor für Germanistik an der Universität-Gesamthochschule Siegen und an der Universität Houston/Texas; S. 61, 75.

Alberto Martino, Dr. phil., geb. 1937, Professor am Institut für Vergleichende Literaturwissenschaft der Universität Wien; S. 59.

Franz Menges, Dr. phil., geb. 1941, Redaktor der Neuen Deutschen Biographie bei der Historischen Kommission der Bayerischen Akademie der Wissenschaften München; S. 143.

Friedrich Minssen, Dr. phil., geb. 1909, Oberschulrat a. D. in Frankfurt; S. 141.

Inka Mülder, geb. 1953, Studium der Germanistik, Anglistik und Philosophie, Doktorandin in Tübingen; S. 15, 125.

Walter Müller-Seidel, Dr. phil., geb. 1918, Professor für Neuere deutsche Literatur an der Universität München; S. 45.

Uwe Opolka, geb. 1950, wiss. Angestellter am Deutschen Institut für Fernstudien; S. 15, 125.

Willi Plankl, geb. 1951, Studienreferendar in Dietfurt; S. 155.

Karl Konrad Pohlheim, Dr. phil., geb. 1927, Professor für Neuere deutsche Sprache und Literatur an der Universität Bonn; S. 39, 149.

Norbert Rath, geb. 1949, wiss. Mitarbeiter am Institut für Philosophie an der Universität Bochum; S. 179.

Gunter Reiß, Dr. phil., geb. 1940, Professor für deutsche Sprache und Literatur sowie deren Didaktik an der Universität Köln; S. 55, 157, 159.

Alexander Ritter, Dr. phil., geb. 1939, Studiendirektor am Kreisgymnasium Itzehoe; S. 163.

Leibl Rosenberg, M. A. geb. 1948, Doktorand in München; S. 47, 71, 89.

Jörg Franz Sandberger, Dr. theol. geb. 1938, Theologe und Eheberater in Ravensburg; S. 175.

Jürgen W. Schaefer, Dr. phil., geb. 1941, Studiendirektor an der Internationalen Gesamtschule Heidelberg; S. 21, 41, 111, 121, 137, 177.

Manfred Schier, geb. 1926, Studium der Germanistik, Philosophie und Psychologie in Leipzig und Münster, Arbeit an einer Schükking-Dissertation; S. 161.

Jörg Schönert, geb. 1941, Professor für Neuere deutsche Literaturgeschichte an der RWTH Aachen; S. 107.

Ursula Segebrecht, Dr. phil., geb. 1939, Oberstudienrätin im Hochschuldienst an der Universität Regensburg, derzeit beurlaubt; S. 109.

Friedrich Strack, Dr. phil. habil., geb. 1939, Privatdozent am Germanistischen Seminar der Universität Heidelberg; S. 25.

Gert Ueding, Dr. phil., geb. 1942, Professor für deutsche Literaturwissenschaft und Literatursoziologie, Literaturkritiker; S. 29, 113.

Herbert H. Wagner, geb. 1934, Publizist in Hannover; S. 65, 187.

Peter Wapnewski, Dr. phil., geb. 1922, Professor für deutsche Literatur des Mittelalters an der Universität Karlsruhe und Rektor des Wissenschaftskollegs zu Berlin; S. 181.

Ernst Weber, Dr. phil., geb. 1939, wiss. Assistent an der Universität Regensburg; S. 43, 81, 185.

Manfred Windfuhr, Dr. phil., geb. 1930, Professor für Neuere Germanistik an der Universität Düsseldorf, Herausgeber der Düsseldorfer Heine-Ausgabe; S. 77.

Winfried Woesler, Dr. phil. habil., geb. 1939, Privatdozent an der Universität Osnabrück, Leiter der Droste-Forschungsstelle an der Universität Münster; S. 37.

Bernhard Zeller, Dr. phil., Dr. h. c., geb. 1919, Professor für Neuere deutsche Literatur, Archiv- und Bibliothekswesen, Direktor des Schiller-Nationalmuseums und des Deutschen Literaturarchivs in Marbach a. N.; S. 119.

Hans Zeller, Dr. phil., geb. 1926, Professor für Neuere deutsche Literatur an der Universität Freiburg/Schweiz; S. 115.

Rosmarie Zeller, geb. 1946, wiss. Assistentin am Deutschen Seminar der Universität Freiburg/Schweiz; S. 167.
Christofer Zöckler, Dr. phil., geb. 1942, Studienrat in Bremen; S. 33.